M000303676

René Fallet

Paris
au mois d'août

Denoël

*Comme tous les soirs Henri Plantin rentre chez lui à pied.
Malmené par la foule, injurié par les chauffards, il rêve : il
a eu quarante ans la semaine dernière et, dans dix ans, il sera
chef de rayon à la Samaritaine, aux articles de pêche. Peut-
être aura-t-il gagné au tiercé. Comme il est tout seul — sa
femme et ses gosses sont à la plage — il jouera à la belote au
café Rosenbaum avec le marchand de journaux et son voisin, mendiant professionnel. Ensuite il donnera, en douce,
du grain aux pigeons, sur les toits...*

*Une jeune fille blonde, vêtue de rouge, le dépasse. Il la suit
des yeux, terrassé par la distance qui le sépare lui, ver de
terre, de la belle créature. Mais la robe rouge fait demi-tour,
s'approche de lui et demande où est le Panthéon.*

*C'est le début d'un itinéraire sentimental jalonné de mo-
numents et de souvenirs historiques, d'approches timides,
de baisers furtifs, de fous rires. Comme dans les romans che-
valeresques, les rencontres dangereuses et les rixes avec un
rival jaloux ne manquent pas. Avec succès ou peine le héros
s'en tire toujours au mieux puisqu'il gagne le cœur de la belle.*

*Pour Henri Plantin, c'est le bonheur, l'amour, mais aussi
l'angoisse de perdre Patricia. Car elle s'appelle Patricia,
elle est anglaise et elle se dit mannequin.*

Emporté hors de son quotidien grisâtre, Henri Plantin

— qui se dit artiste peintre — devient un Lancelot, un Tristan, un Werther prêt à tous les sacrifices.

Fils de cheminot, René Fallet est né en 1927 à Villeneuve-Saint-Georges. Il travaille dès l'âge de quinze ans. En 1944, à moins de dix-sept ans, il s'engage dans l'armée. Démobilisé en 1945, il devient journaliste, grâce à une recommandation de Blaise Cendrars qui a aimé ses premiers poèmes.

Il a dix-neuf ans quand il publie, en 1946, *Banlieue Sud-Est*. René Fallet a su construire, depuis, une œuvre, couronnée en 1964 par le Prix Interallié pour *Paris au mois d'août*. Ses romans ont inspiré de nombreux films : *Le Triporteur, Les Pas Perdus, Les Vieux de la vieille, Porte des Lilas, Paris au mois d'août, Un idiot à Paris, Il était un Petit Navire (Le drapeau noir flotte sur la marmite)*...

The man in red who reads the law
Gave him three weeks of live
Three little weeks...

Oscar Wilde.

CHAPITRE PREMIER

— Les putes de la rue aux Ours sont...
— Et ta sœur!
— Vos papiers?
— ... les déchets de Vénus. Quand elles font la nuit, les épluchures de la Lune.

Chez Alfred la Frite.

Orange. Rouge. Vert. Et passe.

La maison ne fait pas de crédit.

Elles sont grasses de laideur, d'une laideur que souligne un crayon gras de Carnaval. Le vice s'empêtre en cette margarine à pattes. Il ne peut s'en sortir. Il y demeure et meurt, aspiré. Gobé.

14.12.18. Paumé.

— Oh! j'ai commencé tout petit. J'ai vendu un Juif, en 42. Pas cher. J'en ai sauvé un en 43. Plus cher. C'est ce que je dis : vaut mieux faire le bien.

— Ma sœur, ma sœur, elle te dit... et puis non, elle te le dit même pas. Elle aurait peur de se salir. T'es rien. Rien.

Elles sont moches avec entêtement, avec superbe. Tenaces du trottoir et de la disgrâce. Résolues et sans dents. Le cheveu raide, bleu, rouge. Rouge. Vert. Orange. Et manque.

8.12.14. Encore paumé.

Fort tartes. Si tu veux coucher avec la misère, elle te tend, rue aux Ours, ses bras de poulpe. Le désespoir aura pour toi une épaisseur de rouge à lèvres. Amour. Amour? Une tomate en pleine gueule!

« A vot' bon cœur pour un pauvre vieux, pour un grand-père dans le besoin. » Bas : « Les fumiers! Ah! quand même cent balles! » Dans les couloirs du métro Châtelet, pas loin d'ici, pas loin de chez lui, Gogaïlle fait la manche. Ulysse Gogaïlle mendie. Depuis quinze ans.

Quelques Nègres et quelques Arabes, fascinés par ce tas de luxure, affamés de fesse au poids, tournent autour de ces énormes mouches bleues, tournent avec la lenteur géométrique de l'araignée. Ils émettent parfois, entre eux, une cochonnerie sans joie, en des langues de coquillage raclé sur une brique.

Vert. Orange. Rouge. Les voitures s'arrêtent pile aux clous, sur le Sébasto, prêtes à redémarrer, ronflant pour s'éclaircir la gorge.

J'ai vu à ce feu rouge un moineau se poser sur un capot pour y faire son nid.

Le tiercé! 12.8.14. Dans l'os. Je l'ai dans l'os.

Déprimantes. Les jeunes ont déjà cinquante ans. Les vieilles en ont plus de cent. Elles vous ont des tournures de pompe à essence. Ces totems bariolés leur parlent du pays, aux noirs. Les troncs, eux, rêvassent figues ou bien poulets ou chameaux s'il le faut.

Tu viens? Elles savent tout des gouzi-gouzi. Chéri?

Pas dégoûtés. Elles non plus, bougre. Les putes de la rue aux Ours ne craignent pas plus Dieu que la neige, pas plus le diable que la pluie ou le soleil. Elles sont putes. Rue aux Ours.

Et moi je m'appelle Plantin. Henri Plantin. J'habite à côté, dans un passage qui relie rue Beaubourg et rue Saint-Martin. J'ai quarante ans depuis une semaine. J'ai une femme, Simone. Trois enfants, Véronique, Gilbert, Fernand. Je suis vendeur à la Samaritaine. Je vais à pied à mon travail. Je suis aux articles de pêche, magasin 3. A force de côtoyer les illuminés du gardon, je m'y suis mis, à la « canne roubaisienne en roseau laqué noir, 72,20 F », dès que j'ai compris qu'il nous fallait à tous, pour vivre, un vice, sous peine de mort. Le vice, c'est la santé. C'est l'eau des plantes, le vin de pas mal, les femmes de beaucoup, l'éther de quelques-uns, la politique d'autres encore. Moi, c'est la pêche. Je suis gâté. De la Samar je vois la Seine, et je vends des hameçons toute la semaine. Je suis un voyeur qui serait machiniste au Mayol. La planque.

Je suis vendeur depuis vingt ans, depuis que je suis revenu du service. A cinquante ans, je gagnerai pas tellement mal ma vie. Simone, elle, tricote douze heures sur vingt-quatre, avec une machine, pour une maison de gros. Il y en a quand même qui sont plus à plaindre que nous. Faut pas vouloir la lune. D'abord, même qu'on la voudrait...

12.8.14 ? Pas de pot. Mais ça viendra. Gogaille me dit tout le temps : « Si on insiste pas ! Faut insister ! » Alors, j'insiste. C'est mon ami, Gogaille. Il fait la manche au Châtelet. Un original, quoi. Mais sûr qu'il a raison : faut insister. 12.8.14. Insister. Moi, j'ai quarante ans, jamais j'ai vu un type pas prendre de billets et gagner un jour à la Loterie. Jamais vu.

Ça, monsieur, cette canne? Si c'est solide? Je voudrais pas vous faire de peine, mais elle vous enterrera. Vous débutez? Eh bien, si vous la prenez, vous ne connaîtrez qu'une canne dans votre vie. Dans un certain sens, oui, c'est mélancolique. Dans quel sens? Ah! monsieur, c'est de la philosophie, que je vous fais là. Je ne la garantis pas. Pas comme la canne! Sauf si vous marchez dessus ou si vous la coincez dans la portière de l'auto. Or, une canne à pêche n'est évidemment pas faite pour ça mais pour pêcher. Prenez-la en main. Là. Ça ne fouette pas. C'est rigide. C'est léger. C'est tiercé. C'est japonais, etc. Je connais mon métier. Et, grâce à mon savoir, à mon expérience de pêcheur pratiquant, je suis devenu, totalement, absolument irremplaçable au rayon Pêche. Personne n'est indispensable? Si. Moi. Quand M. Dumoulin prendra sa retraite, je serai chef de rayon. CHEF DE RAYON. Mais nous n'en sommes pas là. J'ai des espérances. Je vis d'espérance. 12.8.14. Chef de rayon.

Parfois, le soir, au café-tabac de Rosenbaum, avec Gogaïlle — en chapeau et en cravate, notre mendiant, quand il est en civil — Civadusse le postier et Bitouillou le marchand de journaux, on tape le carton. Je n'aime que la belote « tout atout-sans atout », l'autre, la simple, est celle des ploums ou des tarés. Avec Gogaïlle, on forme une équipe comme il y en a pas deux dans le troisième. Mais n'allez pas croire que je suis sans souci. Des soucis, j'en ai, comme tout le monde. Véronique, seize ans, commence à courir le matou. Gilbert, quatorze, n'apprend rien à l'école. Fernand, six ans, a toujours, comme on dit, « un pet de travers ». Quant à Simone, c'est Simone. Dix-huit ans de mariage, montre en main. « Faut le faire! » comme dit Bitouillou. Oui... Faut le faire...

Et puis, ce n'est pas tout. Il y a la mère Pampine. Mon Dieu, mon Dieu, faites qu'elle crève avant moi. Que j'éclate de joie!

CHAPITRE II

De la fenêtre de sa chambre, il regardait les toits en contrebas, les toits de zinc et la verrière des ateliers Chichignoud Fils, chauffe-eaux, robinetterie. A gauche de ces toits, une maison en ruine, éventrée, branlante, et qu'un jour foutrait bas un coup de vent définitif.

En pantalon, bras de chemise, savates, Henri Plantin regardait les toits du crépuscule, encore ahuris par les soleils de cette fin juillet.

Là-bas, rue Beaubourg, passaient des automobiles. Et des automobiles.

Et des automobiles...

Et des automobiles...

C'était un autre mouvement de la nature, comme les marées, les saisons et les comètes. Et des automobiles. Puis des automobiles. Plantin ne les voyait plus. Leur bruit lui était celui de la mer aux oreilles d'un marin.

Il regardait les toits avec satisfaction. C'était sa prairie. Il n'y poussait que des chats et, dès que s'absentaient les chats, lui venaient des pigeons de merveille, des pigeons d'un autre monde, d'un monde où l'on disposait d'ailes pour survoler les immeubles. On se mettrait à table dans une demi-heure. Henri goûtait le soir, sa fraîcheur enfin de draps propres.

Né dans cet appartement, il ne l'avait jamais quitté. Ses parents le lui avaient laissé lorsqu'il s'était marié. Ils s'étaient retirés à Jaligny, leur village d'origine, en Bourbonnais. Depuis, le père était mort.

Le pigeon blanc se posa sur le toit. Plantin ignorait tout de la longévité de ces volatiles, mais connaissait ce pigeon blanc depuis des années, huit, dix peut-être. Le pigeon le lui rendait bien. Et, comme toujours en le voyant, Plantin songea à la mère Pampine. Elle était jaune, bizarrement jaunâtre, depuis quelques mois. Aurait-elle enfin quelque tumeur maligne, ou, mieux, quelque cancer aussi expéditif qu'utérin?

« Mon Dieu, murmura Henri en s'adressant au ciel dont l'azur se troublait en bleu sombre, faites, en votre immense bonté, que la mère Pampine ait un cancer, si vous en avez un de trop. Ainsi soit-il. »

Marmot, il le priait déjà en ces mêmes termes. Dieu n'était pas pressé de rappeler à lui la mère Pampine, et Plantin, honnêtement, le comprenait assez. Tout Dieu qu'il était, il redoutait, comme ses brebis, la concierge du numéro six, la plus monstrueuse d'aspect, la plus vénéneuse d'âme du Passage.

Quand un chien la voyait pour la première fois, ses poils se hérissaient malgré lui. Quand un pauvre la croisait, il se sentait plus pauvre encore, et frissonnait.

La mère Pampine était la descendante en ligne directe des concierges de 71, donneuses de communards, et qui eurent plus de sang sur les mains, en une semaine, que de poussière leur vie durant. La mère Pampine, qui n'aimait rien, exécrait par-dessus tout les pigeons. Leur grâce lui était une offense. Quelques voisines serviles qu'elle tenait ferme sous sa coupe s'étaient empressées de partager cette haine. Plantin éparpillant des graines sur les toits avait soulevé une armée de boucliers. La mère Pampine avait alerté le gérant. La pollution des toits par les ramiers fut attribuée, en son entier, à Plantin. « S'il vous amuse, monsieur Plantin, lui fut-il signifié, de transformer les toits en champ de guano, vous serez seul à en payer le nettoyage. »

Les pigeons de Paris n'avaient pas bonne presse. On les accusait de décorer les maréchaux d'Empire du Louvre d'ordres que n'avait pas créés Napoléon. Aimer les bêtes fut déclaré crime par une municipalité des plus intéressées à distraire l'opinion de problèmes plus âcres. Le cœur serré, Plantin dut garder ses graines pour lui. Elles germaient pourtant, et produisaient d'horribles fleurs carnivores qui engloutissaient sans répugnance les fibromes, les loupes et la verrue velue de la mère Pampine. Il eût pu jeter ses graines la nuit, mais elles cliquetaient sur le zinc avec un bruit d'averse qui réveillait les voisins et les jetait hors d'haleine au matin dans la loge de la Gorgone. Il lançait, pourtant, héroïque et dans l'ombre, de la mie de pain silencieuse sur les toits. Le pigeon blanc le savait et considérait Plantin avec gratitude. Le pigeon blanc était la chanson vive et de haut vol d'Henri Plantin.

Chaque vendeur de la Samar a ainsi en lui un recoin où s'épanouissent un pétunia en pot, ou un poisson rouge, ou l'étonnement d'un enfant, ou une pointe de sein, ou une lumière d'ancien tango, ou un pigeon blanc. Les vendeurs de la Samar, et les autres. Pas même besoin, pour cela, au juste, d'être vendeur. Et cette sauce intime fait passer les gouvernements, les patrons, les polices, les interdit de marcher sur la pelouse, les ennuis d'argent et les mères Pampine.

Une étoile jaillit dans le ciel, avec une promptitude de néon. Et là-bas, rue Beaubourg, des automobiles.

... des automobiles...

... des automobiles...

Plantin se vit à Jaligny, sur les bords de la Besbre, assis sur son panier-siège, surveillant la course lente de son bouchon. D'un côté les tours du château et de l'autre la paix des vaches. A ses pieds, dans l'eau claire, sa bourriche métallique, où tournaient les canifs des ablettes. Automobiles. Automobiles. Il y passerait trois semaines en septembre. Pour la première fois, il n'avait pu obtenir août pour ses vacances. Après-demain Simone et les enfants partaient pour Concarneau où vivait une tante. Il serait seul à Paris tout le mois.

— C'est dommage, avait soupiré Simone, mais après tout, tu te reposeras mieux.

Ce qu'elle se gardait de mentionner n'était autre que son ravissement. La traditionnelle discorde des vacances se trouvait cette année évitée. Simone et les enfants préféraient l'Océan, Plantin la campagne.

Le fait de couper la poire en deux ne satisfaisait personne. Plantin s'ennuyait, face aux immensités atlantiques, et les autres lui gâchaient son séjour bourbonnais, lui piétinaient les charmes de ces prés tranquilles. L'inquiétude de Simone, laisser Henri aux prises avec les boîtes de cassoulet, s'effaçait peu à peu en songeant aux crevettes qu'elle pourrait traquer sans essuyer les embruns des réflexions désabusées.

« Il faudrait qu'elle souffre! Qu'elle souffre, en mourant, le martyre! Autrement, ce ne serait pas juste! » fit à voix basse Plantin, qui pensait toujours à la mère Pampine.

Le pigeon blanc le regarda encore dans le soir venu et s'envola comme une âme.

Simone entra dans la chambre. Plantin ne se retourna pas.

— Qu'est-ce que tu fais, Henri?

Ne rien faire lui paraissait inévitablement insolite. Elle était de ces boulottes aux yeux ronds, aux joues roses.

— Ah! vrai que ça m'embête, Henri, qu'on parte sans toi! Qu'est-ce que tu vas devenir, tout seul? J'ai bien envie de rester...

Il haussa les épaules.

— ... Mais d'un autre côté, je suis fatiguée, moi aussi. Le docteur Bouillot m'a recommandé la mer à cause de l'iode, et tu sais bien que je suis allergique au foin...

Disparu, le pigeon blanc. Entré dans la maison en ruine. Guetté par les chats noirs.

— ... Véronique n'est pas encore là. On va commencer à manger sans elle. Tu viens?

Il s'arracha des toits, alla à la salle à manger où la fenêtre ouverte donnait sur la cour, royaume des poubelles, le soir, et de la mère Pampine vingt-quatre heures sur vingt-quatre.

Les cinq couverts sur la nappe, comme les doigts d'une main. Fernand se collait lui-même des gouttes dans le nez, malgré ses six ans, vieux routier de mille et une maladies dont neuf cent quatre-vingt-quinze imaginaires. Il se contentait pour l'instant, la proximité des vacances aidant, d'un rhume de cerveau, la moindre des choses. Il connaissait déjà par leur nom et leurs propriétés six cent soixante-quatorze médicaments. Doué comme il était, il serait pharmacien.

Gilbert, lui, se grattait le nez avec virtuosité tout en lisant *Tintin*, occupations multiples qu'il préférait d'assez loin aux études. Encore un que l'intellectualisme de l'objet et le cinéma boutonneux laisseraient sur le sable. Il voulait être ouvrier. Il avait remarqué que ces gens-là se mettent souvent en grève, et n'entendait pas rater cette forme intéressante de la guerre sociale.

— Et... on peut savoir ce qu'elle fabrique, Véronique ? grommela par acquit de conscience son père en s'asseyant face au plat de poireaux en vinaigrette.

— Ce qu'elle fabrique — Véronique! ânonna Fernand sur un air — modeste — de sa composition.

— Elle doit être prise par ses cours.

— Ah! ah! fit Plantin, pesant de sous-entendus, ah! ah!

— Quoi : ah ah?

— Oui : ah ah!

— Tu vois le mal partout.

— Partout, non. Mais là, oui.

Elle lui roula les gros yeux en lui désignant du menton les quatre oreilles grandes ouvertes des enfants. Ce numéro anatomique achevé, elle servit les poireaux.

— Vos places sont louées, au moins ?

— Oui. Ce sera une de ces cohues ! Je voudrais déjà être arrivée.

— Quelle heure, le train ?

— Vingt heures douze.

— Pas interdit aux congés payés, au moins ?

— Non.

Là-dessus, Plantin démolit un moment un gouvernement ségrégationniste, parfaitement, ségrégationniste, qui triait tout en deux parts inégales, les gros et les petits.

— C'est comme le métro. Des premières classes ! Une honte !

Il pointa un doigt vengeur sur sa femme :

— Toi qui n'entends rien à la régression sociale, apprends quand même que ce gouvernement est le premier gouvernement catholique depuis celui de M. Thiers ! Oui, catholique !

— Mais, Henri, je vois pas ce que ça a d'effrayant, les enfants sont baptisés...

— Ne mélange pas l'État et les convictions, ou les coutumes des citoyens. Un président de la République qui va à la messe, comment veux-tu, foutre Dieu, bordel de merde, qu'il soit républicain !

— Je n'en sais rien, mais ne dis pas de gros mots !

— Bordel de merde, jubila Fernand, bordel de merde!

L'entrée de Véronique sauva le garçonnet d'une gifle imméritée.

— Ah! te voilà! rugit Plantin. Ah! te voilà! Huit heures et demie! Bravo! Bravo! C'est gentil de ne pas découcher.

— Les cours, expliqua-t-elle laconique, en s'asseyant, peu disposée à discuter avec une génération méprisable et descendante.

Plantin monologua alors sur la «jeunesse actuelle», monologue tissé dans les dialogues qu'il menait, rayon Pêche, avec son collègue Bouvreuil sur le sujet.

— Tu m'écoutes, oui?

— Bien forcée.

— Tu veux que je te dise? Tu finiras rue aux Ours!

— Oh! Henri! suffoqua la mère.

— Oui, rue aux Ours! Comme la mère Georgina qu'est là depuis quarante ans au même endroit, à preuve que je l'ai toujours connue depuis tout petit. Eh bien, Georgina, d'accord elle était soûle, mais quand même, un soir, elle me racontait en pleurant qu'elle n'en serait pas là si elle avait écouté ses parents.

Véronique protesta mollement :

— Moi non plus, je n'en suis pas là. Tu exagères, papa.

— C'est ça, tu exagères, appuya Simone.

Ébranlé, Plantin baissa d'un ton :

— Admettons. Si j'exagère, c'est exprès. Mais où je n'exagère pas, ma petite, c'est quand je te prédis qu'un jour tu nous arriveras enceinte!

— Oh!

— Oui! Enceinte! Jusque-là! Jusqu'aux yeux!

— Quelle horreur! fit Véronique avec un bon sourire.

— Qu'est-ce que c'est, enceinte?

Fernand, cette fois, n'y coupa pas d'une gifle, et hurla qu'il avait la migraine et qu'il lui fallait de la Véganine ou de l'Optalidon, l'aspirine lui donnant des aigreurs d'estomac, auquel cas, par parenthèse, la Tétrasodine était tout indiquée.

— Comment veux-tu que ça m'arrive, papa? murmura Véronique.

— Oh! c'est bien facile! Plus facile que de toucher 12.8.14 au tiercé, par exemple!

— Tu sais, je suis toujours vierge, fit-elle en le fixant dans les yeux.

Il eut beau assurer, pour avoir le dernier mot, que « ça ne durerait pas autant que les contributions et que de Gaulle verrait la fin de cet état de choses avant de s'en retourner planter ses choux à Colombey », il fut troublé et s'attaqua en silence à son bifteck.

Véronique avait cette joliesse des filles de quartiers populaires, cette grâce comme blessée des jeunes vendeuses d'Uniprix. Seize ans. « Ah! donne tes seize ans! » priait une chanson. Elle ne les avait encore donnés à personne. Mais c'est terrible aussi, ces filles de seize ans, elles te vous les donnent un beau soir — pas toujours très beau — à n'importe qui, leurs seize ans, pourvu que le printemps et la folie passent par là...

— Et toi, lâcha enfin Henri à l'adresse de Gilbert, tu ne dis rien! Tu es muet?

Le gosse leva son front soucieux :

— Je me réserve pour plus tard. Je parlerai quand je serai un grand leader syndicaliste.

Plantin demeura coi et, le repas fini, s'en alla dans sa chambre pour encore un peu regarder les toits.

Simone était dans la cuisine.

— Je l'ai flingué, le vieux, rigola Gilbert pour sa sœur.

— Pas tant que moi, répliqua-t-elle, importante de virginité.

Puis ils mirent sur le pick-up un disque de Frankie Tornado, commis charcutier moins connu l'an passé sous le nom de Jules Poulailler. Fernand, lassé de sa migraine, écouta religieusement auprès de ses aînés cet hymne à une « fureur de vivre » qui les précipiterait bon gré mal gré au droit de vote, aux deux pièces-cuisine, aux assurances sociales et à la retraite des vieux.

« Je ne comprends pas mes enfants », soupira Plantin, les bras croisés sur la barre d'appui de la nuit. Il tenta de s'en bâtir un drame, mais n'y parvint pas. « Je ne comprends pas mes enfants. C'est terrible. » Que deviendraient-ils? Bah! Ce qu'il était devenu : un homme. Pas Véronique, bien sûr. Un homme, oui. Ce qui, à en juger par le nombre, n'était pas une entreprise surhumaine. Un homme sans plus ni moins. Pas celui des magazines, un mètre quatre-vingts, yeux gris acier, bronzé, voiture sport, whisky, etc. Un homme, quoi! Tous les hommes sont des hommes, le jour, comme la nuit tous les chats sont gris. La nuit, oui. Il regardait la nuit, pénétrait devant cette nuit et s'y trouvait comme chez lui. Comme un gant.

Puis il se sentit mal à l'aise.

Qu'avait-il donc à se complaire à ce point dans une nuit d'été? Il demanderait à Bouvreuil, son collègue, si, comme lui, il regardait la nuit.

Il songea que non. Que Bouvreuil dormait, la nuit, Mme Bouvreuil à son côté comme un fusil.

Il écarquilla davantage les yeux et devina sur le toit la forme d'un chat noir. La nuit, tous les chats ne sont pas gris, la preuve : ce chat noir qui marchait sur la nuit.

Et, rue Beaubourg, les automobiles, toujours...
... Les automobiles...

CHAPITRE III

Il n'était pas laid. D'accord, il n'avait plus la chevelure ondulée et touffue de son adolescence. Ses tempes s'étaient fleuries de pâquerettes de cimetière, et le peigne n'avait plus à livrer de sévères combats pour ordonner le tout. Mais Plantin — qui ressemblait en outre à Aznavour — conservait dans la vie courante un sourire professionnel qui n'était pas dénué de tout charme, ajouté à une certaine prestance dite « d'officier » aux temps où ceux-ci étaient gardés pour la Revanche. Il avait dans la voix les musiques des Halles, des frites, de la Rambute, de la Quincampe et du Topol [1], du pavé natal, accent facile, coulant comme Seine sous le Pont-Neuf, et qui fait du Parisien le dessus du panier des casernes.

Cet ensemble avenant n'était guère mis en valeur par la blouse grise de la « Samar », mais la cape noire de Perdican n'avait pas d'évidente raison d'être au rayon Pêche.

1. La rue Rambuteau, la rue Quincampoix, le boulevard Sébastopol.

— Comme ça, fit Bouvreuil pour dire quelque chose, c'est ce soir que t'embarques toute la smala ?

— Oui. Je sortirai à six heures. J'ai demandé à Dumoulin.

— Tu vas être peinard, pendant un mois. C'est pas à moi que ça arriverait.

Bouvreuil était un homme à femmes. On lui savait une aventure scandaleuse avec une vendeuse — également mariée — de la papeterie magasin 2.

— Une paire de fesses, mon vieux. A jouer *La Marseillaise* pour se découvrir devant.

Plantin, par nature, n'entrait pas dans ces considérations d'ordre esthétique. Il fuyait même plutôt ces variétés d'orage. Les complications de la vie de Bouvreuil l'effaraient. Ces hôtels furtifs... Ces alibis... Ces peurs... pour Henri, les adultes n'avaient plus à voler les confitures.

Par-dessus les flotteurs, les seaux à vif, les moulinets, les épuisettes, l'œil éthéré de Bouvreuil poursuivait un arrière-train de conte de fées livré à ses bas appétits durant tout un mois d'août.

— Fait trop chaud pour penser à ça, lança Plantin, pour bien prouver qu'il devinait les plus subtiles pensées de son camarade.

Bouvreuil eut un sourire d'initié :

— Erreur. Pour être à poil, c'est la saison rêvée. Tiens, l'hiver, si tu montes avec une pute, elle te fait un chantage inqualifiable au porte-monnaie pour te montrer un morceau de robert. L'été, tu as les deux pour rien, trop contents qu'ils sont de prendre un peu l'air. Monsieur ?

— Je voudrais de la « Ky-Radine [1] ».

— Nous en manquons pour le moment. Mais je vous conseille d'essayer « l'Appât-à-Papa [2] ».

— C'est bon, ça?

— Si c'est bon! Je vais vous montrer.

Le client, englouti par un béret trop grand, emboîta le pas à Bouvreuil. Henri, tout en regardant la rue de Rivoli, aligna selon les normes les cannes qu'un client brouillon avait mélangées sans pudeur, à la recherche d'un idéal terrestre. Un convoi sans queue ni tête d'automobiles progressait par bonds ridicules, absurde, gratuit, se dirigeant vers l'inconnu en distillant sur la ville ses miasmes, ses injures, ses haines et ses feux aux poudres. Il y avait en lui comme une idée d'éternité. Une fois morts, ces conducteurs seraient, tout comme des papes, illico remplacés par d'autres conducteurs. Seuls les modèles de voitures et les jurons évolueraient. Rien n'enrayerait, par contre, cette dysenterie sur quatre roues. Cette continuité étourdissait Plantin qui n'était pas, les dimanches, le dernier à participer à ce tourteau de ferraille, lorsqu'il sortait par à-coups sa vieille 2 CV du passage. Car tous les Parisiens s'étaient pour une fois entendus à merveille dès qu'il avait été question d'assassiner Paris.

A cette heure, c'était le meilleur moment de la journée pour Ulysse Gogaîlle, dans les couloirs du métro Châtelet. Assis sur un pliant — il tenait à ses aises —, calamiteux et l'œil humide, il psalmodiait ses appels à la pitié tout en couvrant d'op-

1. et 2. Noms authentiques de spécialités halieutiques.

probre un gouvernement dont l'essentielle grandeur consistait à laisser les vieillards autochtones crever de faim, quitte à gaver de manioc d'autres vieillards, en Oubangui-Chari. Ce n'était qu'après de mûres réflexions qu'il avait décidé de porter la mendicité sur le terrain politique. Sa prise de position éloignait certes de sa sébile les tenants du régime. Elle y ralliait — avec une générosité partisane — les opposants.

— J'ai l'âge du général, chevrotait-il, on est de la même classe, moi et Charlot. Je suis-t-y à l'Élysée, moi? Je suis-t-y à l'Élysée? J'ai faim, m'sieurs-dames, j'ai faim, j'ai faim!

C'était en vérité insoutenable d'entendre ce vieillard en guenilles et sans respect humain se plaindre de la faim comme un vulgaire petit Chinois. On lui jetait des pièces pour étoffer cette mélopée affamée. Le voyait-on le lendemain à la même place en pleurnichant : « J'ai faim! J'ai faim! », s'étonnait-on de cette gênante obstination — car on se plaît à croire que les pauvres ne mangent qu'un jour sur deux, par modestie — qu'il trouvait d'un regard lamentable de boulimique le moyen de donner du remords à une brique.

A cette heure encore, le séant de Simone se posait successivement sur six valises pour les fermer. Véronique souffletait au hasard Fernand qui pinçait Gilbert qui giflait derechef Fernand, Simone en sueur survenait, bousculait ces frères Ripolin nouvelle vague.

— Ma brosse à cheveux! Maman! Ma brosse à cheveux!

— Dans la valise jaune!

— C'est sûr? Je regarde!

— Ah non! Et le cadeau pour ta tante, où il est?

— Sais pas. C'est toi qui l'as rangé!

Simone découvrait alors sous une pile de disques borborygmiques le merveilleux dessous de plat en plastique stratifié façon céramique. Véronique serrait à mort les ficelles d'un paquet. Gilbert fut soudain fasciné par cette croupe nerveuse qui tendait à l'éclater le « blue jean » de sa sœur. Pour l'exorciser, il lui fit une « frite » du tranchant de la main et fut soulagé par des hurlements qui lui prouvèrent que sa sœur était toujours sa sœur et non une incestueuse représentation du péché.

— Merde, protesta Fernand, où qu'est mon filet à crevettes et mes médicaments? Faudrait voir à pas les oublier. Moi, quand je serai grand, je serai un grand malade!

La mère Pampine, posée sur son paillasson comme un caca de dinosaure, désigna d'un coup de ses verrues la fenêtre des Plantin :

— Et ceux-là, Mme Snif! Et ceux-là! Ça n'a qu'une 2 CV vieille de cinq ans, mais ça part en vacances! Partez en vacances, vous?

— Oh non!

— Vous voyez! Ça se prive de viande et de tout, ceux-là, pour pouvoir envoyer des cartes postales à des paumés comme eux. Paumés, va! Moi, je reste là mais, au moins, je mange mon escalope midi et soir. Parce que, madame Snif, je digère plus que ça, l'escalope. Le bœuf, ça m'alourdit. C'est que c'est gros un bœuf, c'est forcé, quand on y réfléchit. Des paumés, que je vous dis.

Approuvée par l'humble Mme Snif, le regard haut vers la fenêtre incriminée, elle fit « floc floc » dans ses pantoufles, et rentra dans son trou.

— Six heures, dit Plantin à Bouvreuil, je file. Je te revaudrai ça.

— Je t'en prie.

— Ça doit être un de ces cirques à la maison, mais un de ces cirques! Salut.

Il courut au vestiaire, pendit sa blouse à la patère et s'enfuit en enfilant son blouson « imitation daim ».

Il lui fallut attendre le pont d'un « rouge » pour franchir le torrent des voitures.

Le soleil cuisait la foule dans un malodorant court-bouillon de chaussettes et de balançoires à Mickey. Paris l'été, six heures du soir, fleurait l'aisselle et la vaisselle. Toutes les robes à fleurs ne moulaient pas, loin de là, des Brigitte. Les cravates poissaient à des cols sales, sous des faces lunaires de pendus. Un flic, parfois, éclaboussait la rue comme une tache sur une page de cahier. Un piston projetait des giclées d'hommes et de femmes dans la gueule grise du métro. Un automobiliste tournait en rond depuis une heure et demie, épié par l'œil gourmand de charognards dits « contractuels ». La multitude fusait en tous sens, évoquant, vue des toits, soit un grouillement mou d'amibes, soit tout un charleston de spermatozoïdes pressés de faire mouche.

Plantin coupa court, se jeta dans les Halles où passaient une fraîcheur relative et un semblant de calme.

Il remonta la rue Saint-Denis où les filles, le connaissant pour le voir se hâter quatre fois par jour, ne le hélaient plus. Il en était de si jolies et de si jeunes qu'il lui venait — surtout en mai — des bouffées vite étouffées. Il en était aussi qui ressemblaient à celles de la rue aux Ours. Avec celles-ci, la vertu et le sens du devoir se trouvaient grandement facilités. Elles étaient, les atroces, enfants vrais du bon Dieu qui les mettait là pour combattre le Diable aux seins de bois et aux bouches de fraise.

Plantin prit à droite la rue Rambuteau, traversa le Sébastopol au vert et au galop, chargé par quarante-sept voitures, quatre camions et quinze vélomoteurs qui tous le traitèrent — plus grossièrement — de mignon, de câlin, voire de damoiseau. Mais il en avait l'habitude, car c'était devenu un usage sous cette forme inattendue de civilisation.

Il s'arrêta une seconde pour rappeler à Bitouillou le marchand de journaux qu'il y avait belote le soir même chez Rosenbaum le café-tabac.

— Neuf heures et demie pétantes. Tu préviens Civadusse?

— C'est comme si c'était fait. T'as l'air pressé?

— Un peu, oui. Je t'expliquerai.

Il eut les jambes coupées en voyant la mère Pampine posée sur son paillasson comme une méduse ballottée là par une marée prosaïque. Elle lui coupait les jambes ainsi depuis qu'il était né. L'homme avait gardé en lui intactes les épouvantes qu'avait connues l'enfant au voisinage de la sorcière.

— Bonsoir, monsieur Henri, grimaça-t-elle.

— Madame... Pampine... bredouilla-t-il en s'engouffrant dans l'escalier où il avait toujours ce remords immédiat d'avoir détalé devant le monstre au lieu de le saluer d'un air indifférent, de l'air du monsieur bien qui croise une bouse et ne prend pas même la peine de remarquer : « Tiens, une bouse. » Il était embêté.

« Elle a bonne mine. Elle est moins jaune qu'hier. »

Il l'avait tuée des milliers de fois, en rêve. Saignée, dépecée au-dessus d'un évier. D'une poubelle. D'un pot de chambre. Étripée à la fourchette à escargots. Découpée en rondelles à la scie égoïne. Écorchée à la lame Gillette, un soir où il avait un peu de temps devant lui. Ébouillantée centimètre carré par centimètre carré. Assommée — lentement — à coups de cache-col. Empalée sur un fer à souder incandescent. Lapidée. Écartelée. Guillotinée en commençant par les pieds. Les morceaux jetés — une fois désinfectés — à ces chiens qu'elle chassait d'un balai furibond depuis des générations de chiens.

Et Plantin s'effrayait de voir naître en lui, brave type au fond, un S.S. qui eût fait dresser la natte sur la tête du plus abominable bourreau chinois.

— La vache, la vache, la vache, rugit-il en entrant chez lui.

Simone, qui s'agitait comme une mouche sous un verre, s'inquiéta :

— Qui ça ?

— La mère Pampine !

— Qu'est-ce qu'elle t'a fait ?

— Elle m'a fait qu'elle vit !

Simone haussa les épaules :

— Aide-moi plutôt à rassembler les bagages. Gilbert va t'aider à les descendre. Je ne suis pas prête, je suis coiffée comme une folle.

Véronique aussi, mais c'était sa coiffure habituelle et des plus étudiées.

Du logement à la 2 CV, Plantin et ses enfants firent maints voyages. A tous coups, le rideau de la loge frémit.

Quand la voiture fut chargée au ras du sol, Simone se barda de divers paquets, ressembla aussitôt à un bateau de plaisance ceinturé de pare-battages et donna le signal du départ, un peu mélancolique toutefois d'abandonner l'appartement à un homme qui n'avait guère le sens de l'aspirateur et de l'encaustique.

Il leur fallut quarante-cinq minutes de nerfs à vif pour aller de chez eux à la gare Montparnasse, ce qu'il en coûtait avant le progrès à un piéton le nez en l'air ou aux vitrines. C'était le « grand rush des vacances ». « Cinq mille voitures à l'heure sur l'autoroute du Sud » titraient les journaux. Les flics et les sous-flics — enfin quelque chose en dessous — contractuels cernaient toutes les gares, assurés de remplir à bon compte leurs carnets à souche de « stationnements irréguliers ». Henri planta la 2 CV sur des clous. Là ou ailleurs. De toute façon condamnée à la contravention. Ce n'était pas le moment de chercher une des cinquante-six places auparavant bénies par la Préfecture de Police.

Et, titubante sous le poids des valises, la famille Fenouillard s'élança dans le flot hurlant des familles Fenouillard.

Si la France s'octroie, de temps a autre, en rugby,

le tournoi des Cinq Nations, ce n'est pas au hasard qu'elle le doit, mais aux congés payés. Cela n'est pas une boutade, mais une interprétation historique des faits. Avant 38 nous étions, quant au ballon ovale, d'une insigne médiocrité. Si nous avons progressé en ce domaine, c'est essentiellement au départ en masse des vacanciers que nous le devons. All Blacks et autres springbocks ne tiendraient pas une mi-temps dans la mêlée farouche d'une gare parisienne un jour de fin juillet-début août. Alors qu'enfants et femmes et chats et chiens et canaris français parviennent à grimper dans leur train après des corps à corps qui ne sont pas sans rappeler au monde les fortes heures de Verdun.

A cette cohue succédera plus tard celle des plages et des petits coins tranquilles où le saucisson ne se sent plus à l'aise dans sa peau, où l'oiseau ne peut plus fermer l'œil, où Radio-Luxembourg tonne comme Jupiter!

Après avoir laminé quatorze caniches, vingt-quatre bébés qui faisaient là, séparés de leurs parents, leurs premiers pas dans la vie, trente-six vieillards stupides des deux sexes et un cheminot frappé d'égarement, les Plantin parvinrent à leur compartiment, déculottés, dégrafés, de la cervelle, du sang et des cheveux blancs aux quatre coins de leurs valises. Henri dut encore faire le coup de poing pour déloger des religieuses installées aux places louées, enfin ce fut le moment des adieux.

— Amusez-vous bien, braillait Henri pour qu'on l'entendît.

— Fais attention au gaz, barrit Simone.

— A quoi?

— Au gaz! Le sucre est dans le buffet!

Une horde éjecta comme une cartouche vide Henri du quai. Il ne put revenir à temps vers le train. Celui-ci s'ébranlait dans un craquement d'os. Henri agita à tout hasard son mouchoir et songea qu'il lui faudrait bientôt en changer. Dans une malle perdue, un cadavre ne verrait pas la mer.

Enfin seul, ahuri, courbatu, il regagna le passage. Au lieu d'entrer chez lui, il gravit un étage supplémentaire et sonna chez son ami Gogaîlle.

— Je suis mort, soupira Henri, je sors de l'enfer.

— Buvons un pastis, répondit le mendiant.

Gogaîlle avait étalé avec soin sur le plancher ses nippes de travail et marchait dessus de temps à autre pour les empêcher de reprendre bonne figure. Il était vêtu d'un complet correct et portait une cravate stricte du meilleur effet. Las, il ne pouvait se raser de frais — un malheureux ne peut s'offrir ce luxe — et se coupait la barbe à la tondeuse.

— On mange un morceau avant la belote, proposa-t-il.

— Je n'ai pas faim.

— Oh! juste un morceau pour grignoter. Une tranche de terrine, du poulet froid et un petit bordeaux de 47.

Et il dressa la table sur une nappe blanche.

— J'en ai marre de Paris, soupira encore Plantin.

— Pardi! Parce que ce n'est plus Paris. C'est un garage qui se fait passer pour Paris.

Ulysse Gogaîlle n'avait jamais rien fait de ses dix doigts, pas même la guerre de 14. Ses trois frères, ayant participé au miracle de la Marne, en furent tant et tant sidérés « qu'ils n'en sont jamais revenus, expliquait Gogaîlle en concluant : Paix à leur âme, mais ce n'est pas grave. Ils étaient assez cons, si mes souvenirs sont bons ».

Bref, ce triple trépas avait du moins sauvé une vie, la sienne. Par égard pour une famille si éprouvée, Gogaîlle fut dispensé d'aller au front et garda des prisonniers jusqu'à l'armistice. Après celui-ci, Gogaîlle épousa Clotilde et lui mangea ses quatre sous. Ils habitaient alors Montmartre. Poussé par la faim, le solide Gogaîlle se fit embaucher la mort dans l'âme dans une entreprise de construction, en qualité de manœuvre. Oui, manœuvre, lui, Gogaîlle! Ce fut la chance de sa vie. Il oubliait parfois de se rendre au labeur. Un jour qu'ainsi il faisait le « chantier buissonnier » en flânant sur les boulevards, un titre de *Paris-Soir* lui éclata au visage. Un immeuble quasi achevé venait de s'écrouler tout net, ensevelissant vingt ouvriers de l'entreprise qui employait Gogaîlle. Celui-ci apprit avec intérêt que trois ou quatre cadavres en bouillie ne seraient jamais identifiés. Il s'en alla paisiblement vivre à l'hôtel et sut, toujours par voie de presse, qu'on le tenait pour mort et que sa veuve sanglotait sur les ruines. Ce ne fut qu'à coups de pensions que l'on put calmer ces veuves bruyantes, ces orphelins déchirants, et l'opinion publique. Les mensualités de Clotilde assurées d'être coquettes, Gogaîlle fit un signe discret à sa femme qui, trop heureuse de le revoir en vie, comprit fort bien ce qu'il attendait d'elle : le loisir. Elle déménagea, loin de Montmartre et des gens de connaissance, récupéra son époux. Ils vécurent ainsi, heureux, oisifs. Cet innocent stratagème qui lésait moins la France que la chute du franc dura vingt-sept ans, jusqu'en 1950, date à laquelle Clotilde eut la funeste idée de trépasser, perdant ainsi, qui pis est, ses droits à sa pension de veuve, ce qui plongea son sexagénaire de mari dans un cruel embarras. Il fallait vivre. Légalement mort, il ne pouvait attendre aucun secours de nulle part. Les sempiternelles mendigoteries d'un État sans le sou — mais non sans colonels — en faveur des polios, des aveugles, des nécessiteux ou des laboratoires l'inspirèrent. Il ferait comme cet État sans vergogne : il tendrait la main. Il la tendit. Avec succès. Et vécut mieux, plus largement qu'un travailleur de la S.N.C.F. ou qu'un pauvre diable attaché à la Recherche scientifique.

— Il faut MONTRER les pauvres, prétendait-il, les exhiber. Je suis la mauvaise conscience de la société. Grâce à moi, un jour, il n'y aura plus de mendiants. Pour s'en débarrasser, on leur donnera une pension comme celle que touchait ma pauvre femme. La pension pour tous, voilà l'avenir. Je suis l'avenir.

Plantin aimait Gogaîlle, tenait sa vie pour exemplaire.

— Tu manges pas, Riquet.

— Mais si. C'est toi qui manges rien.

— Ah! moi, c'est différent. C'est le métier qui veut ça. Si je venais à prendre dix kilos, mes recettes baisseraient de 80 pour cent. Un mendiant joufflu, ça fait pas un rond. Faut se surveiller, dans cette profession. Si tu crois que ça m'amuse de vivre en dégueulasse, moi qui serais plutôt maniaque de nature! J'en ai connu un, de collègue, il a engraissé comme une vache, il s'est mis à se raser tous les jours sous prétexte que ça le grattait. Total, il a dû quitter le métro Châtelet. Il y gagnait plus de quoi se payer un croissant. A l'heure qu'il est, il est contractuel, le malheureux. Honni de tous et livré aux intempéries.

Il en frissonna et but un verre de bordeaux pour se rasséréner. Là-dessus, il prit son chapeau.

— On y va?

Plantin se leva.

— Ça va te faire drôle, d'être tout seul, lui dit Gogaîlle dans l'escalier.

— Tu as raison! C'est la première fois que ça m'arrive. C'est bien gentil, la liberté, mais que veux-tu que j'en foute? Faut en avoir l'habitude.

— Ah ça, la liberté, c'est comme tout. C'est un don. Y a même des tas de peuples qui sont pas faits pour ça. Enfin, si tu t'embêtes, tu sais où j'habite.

Ils passèrent devant la loge. La mère Pampine rentra précipitamment son nez de tamanoir. Car la mère Pampine, de qui Dieu avait peur, craignait Gogaîlle comme le tigre mangeur d'hommes redoute le feu. « La première fois qu'elle m'a cassé les noix, racontait Gogaîlle, je lui ai dit : « Voulez-vous voir mon sexe? » La seconde fois, elle l'a vu. Depuis, elle me fout la paix. Cette femme-là doit avoir un instinct génésique des plus atrophiés. » Ce récit abattait Henri, qui s'imaginait très mal montrant à la tarasque ce que lui avait dévoilé Gogaîlle avec superbe. De toute façon, c'était trop tard. Le cancer, seul... « Si elle doit l'avoir un jour, affirmait Gogaîlle sceptique, elle l'aura, mais à l'usure! »

Chez Rosenbaum, Civadusse et Bitouillou attendaient autour d'un jeu de cartes et du tapis.

— Alors Riton, célibataire? fit Civadusse un brin d'envie dans la voix. C'est pas à moi que ça arriverait, putain!

— Ça s'arrose, Riri, clama Bitouillou, ça s'arrose!

Ils disaient tous : « C'est pas à moi que ça arriverait. » Plantin haussa les épaules :

— Fallait pas vous marier.

— Fallait pas, fallait pas! Si on savait tout, on toucherait le tiercé tous les dimanches. Au fait, qu'est-ce que tu joues, Gogaîlle?

— 2... 19... et 6.

— Il est dingue, Ulysse, vociféra Bitouillou. Ton 19, c'est «Polope», un gaille de mes fesses, qu'on en voudrait pas à la chevaline, c'est que des os. 2.17.9, je sors pas de là pour dimanche. Et on verra!

— On verra... soie, plaisanta avec finesse Rosenbaum qui lavait des verres. Moi je fous dix sacs sur 6.4.2.

— 6.4.2., soupira Civadusse. On parle sérieusement, nous, mon vieux Schmoll, techniquement. Coupe, Riton.

Pendant qu'il donnait les cartes, Bitouillou se lamentait :

— Revoilà l'époque des serpents de mer. Je vais plus vendre un canard. Kennedy, ça c'était quelqu'un. Question vente, cet homme-là, une semaine inoubliable. On aura peut-être un petit tremblement de terre, mais c'est toujours à Pétaouchnok, leurs conneries. Ça amuse plus personne. Les catastrophes, les faudrait toutes à Nanterre, toutes. Pas plus loin.

— Regarde ton jeu, figure! grogna Civadusse dépité par le sien.

Ils jouèrent.

Rosenbaum n'avait pas encore la télé, qui réduit à zéro la couleur et la vie des cafés. On en savait gré à Rosenbaum, dans le quartier. En ces temps-là, une grillade au feu de bois ou un beaujolais sans mascara étaient aussi recherchés que l'ami rétrograde qui se contentait de vous parler, comme ça, tranquille, au lieu de vous planter à ses côtés devant une boîte à images.

Ils jouèrent. Cette belote, à les voir, était le moment grave de leur journée.

Un clochard aux yeux vagues riait tout seul au zinc devant un rouge. Il y avait autant de clodos que de putes, dans le coin, ce qui lui conférait au moins des éléments de gentillesse et de pittoresque.

Le hère aux yeux flous était familier aux habitués. Comme nul, pas même lui, ne savait son nom, une tradition voulait qu'on lui donnât celui du Premier ministre en exercice. Il était si doux qu'il ne s'en formalisait même pas. Par un hiver glacé, Rosenbaum avait dit à ses beloteurs :

— Faut faire quelque chose pour Debré — il s'appelait Debré, à l'époque — sans ça il va crever. Moi, j'ai une petite cave qui me sert pas à grand-chose, je la lui donne. Civadusse avait offert un vieux lit-cage, Bitouillou deux couvertures, Plantin une lampe à pétrole, une table de nuit, Gogaille enfin une chaise et un radiateur à butane. Le « home » installé, on y

42

introduisit Debré avec cérémonie, on lui dit : « C'est à toi. » Éperdu de bonheur et de reconnaissance, Debré tint à leur payer l'apéritif, puis fit visiter son logis à ses confrères ébahis. Il n'y coucha jamais. Jamais. Jamais.

— On est des glands, avait conclu Bitouillou. Des mecs comme ça, y sont en prison, entre quatre murs. Une cloche qu'a un chez lui, c'est plus une cloche, c'est mathématique. On n'a rien compris à la psychologie de Pompidou.

Car, entre-temps, il était devenu « Pompidou ».

L'équipe Civadusse-Bitouillou, ulcérée, perdit la partie, régla les consommations.

— Allez, fit Henri euphorique, je paie la bouteille de beaujol du célibataire. Et un verre à Pompidou.

Pompidou souleva dignement sa casquette pour remercier. Rosenbaum vint s'asseoir à la table du groupe, et l'on trinqua à ce veinard de Plantin « qui ne connaissait pas son bonheur ». Pompidou, dans ses brumes allègres, fredonnait l'hymne de la J.O.C.

> *Sois fier ouvrier,*
> *Ton œuvre est féconde.*
> *Sans toi que deviendrait le monde ?*
> *Ne rougis pas de ton métier,*
> *Sois fier ouvrier !*

— C'est passé au Conseil municipal, se lamenta Rosenbaum, vont transférer les Halles en banlieue et raser le secteur.

— Nous avec ?

— Nous avec, Bitouillou. On est pas monuments historiques.

— Vont nous reloger dans des H.L.M., grinça Civadusse.

— Pas au château de Versailles, bien sûr.

Ils demeurèrent pensifs.

— Et, s'enquit Plantin, qu'est-ce qu'ils mettront, à la place d'ici ?

— Veulent faire ce qu'ils appellent : une voie triomphale...

— Pour les cocus ! rugit Gogaîlle. Moi, je vais vous dire : ce qu'ils veulent détruire, c'est pas les vieux quartiers. Les taudis, ça les empêche pas de dormir, vu qu'ils ont jamais dormi dedans. Ce qu'ils veulent détruire, c'est plus subtil : c'est l'amitié. Oui l'amitié. Dans les H.L.M., au moins, y en a plus, y a plus de conversations, plus rien. Les types se voient pas, se connaissent pas, leur reste que la famille, et c'est pas toujours primesautier, pas vrai ?

— Sûr, approuva Civadusse.

— On est d'accord, poursuivit Gogaîlle. Quittez pas mon raisonnement. Au point de vue politique, si l'homme peut plus en causer avec des copains, qu'est-ce qui lui reste ?

— La télé ? insinua Bitouillou.

— Tu m'as compris ! L'opinion à domicile, comme l'eau courante. Plus besoin de bouger un arpion. L'homme, faut l'isoler, le mettre sous un béret. Sans quoi il attrape la réflexion. Qui dit bistrot dit contact. Pas de bistrots aux H.L.M. Quand tu prendras ton verre de beaujolpif à un distributeur automatique, la France sera finie. Nettoyée.

— Quand même, considéra honnêtement Civadusse, quand même, nous, on gueule qu'ils vont raser les Halles parce qu'on est dedans, mais si on était ailleurs, on s'en foutrait. Faut pas être contre le progrès. Tiens, on râle contre la télé, mais c'est bien commode. Moi, quand j'ai pas envie de parler à ma bonne femme, ou quand j'ai des parents qui viennent me pomper de l'air à la maison, je branche le truc et je suis peinard. Avant, on pouvait pas lire le journal à table, c'était pas poli. Maintenant on peut. C'est une sacrée amélioration. Faut pas être passéiste.

— Passéiste ? s'effara Rosenbaum.

— Passéiste, parfaitement. Faut pas oublier que, dans le temps, le progrès s'est appelé chandelle.

— Possible, fit Gogaïlle avec violence, mais quand on voyait un château illuminé, on était au moins sûr que c'était pas les feux d'une usine de bassines en plastique! Moi, je serai passéiste, comme tu dis, tant que le présent sera comme il est et tant que les baraques seront des casernes. Je suis pour la cabane à lapins contre l'H.L.M. On peut vivre heureux dans une cabane à lapins. Dans les H.L.M., voyez statistiques, voyez toubibs, on devient dingue à tour de bras!

— On cause, on cause, mais c'est minuit, grommela Rosenbaum en se levant. Ils l'imitèrent. Pompidou vida son verre, ouvrit la porte et murmura avant d'aller zigzaguer dans la nuit :

— Z'êtes infantiles, les potes. Z'infantiles. Z'avez qu'à faire comme moi.

Les beloteurs se séparèrent sur le trottoir, Civadusse regagna la rue Quincampoix, Bitouillou l'impasse Berthaud et les deux autres le six de leur passage.

— Viens chez moi boire le der, proposa Henri.

L'appartement lui parut immense. Ils n'étaient pas sitôt entrés que M. Poule, le voisin, se mit à cogner aux murs avec son balai. C'était — ce balai — la seule distraction de M. Poule. Nul n'y prêtait plus attention, pas même le gérant débordé par ses plaintes, pas même la mère Pampine, M. Poule incommodant ses fidèles alliées Mmes Snif et Flouque. L'imbécile, dès que sonnaient les fatidiques vingt-deux heures épiait, balai en main, les moindres bruits de la maisonnée pour les sanctionner de coups furibonds qui secouaient l'immeuble.

— Tu sais, Riquet, fit Gogaille avec une certaine mélancolie, ce que j'en dis, moi, pour le progrès, les H.L.M., etc., c'est une opinion personnelle, et qui n'engage que moi. Mais c'est justement ce qu'on veut nous arracher de la tête, l'opinion personnelle. Alors je gueule. Putain, je gueule, et on a pas fini de m'entendre gueuler !

Son petit cognac avalé, il prit congé non sans claquer très fort la porte pour amener l'écume aux lèvres de M. Poule. Plantin s'assit sur son lit, abasourdi de solitude. Il cherchait du regard, machinalement, Simone, un gosse, quelque chose de vivant. Le balai s'était enfin calmé. Un silence curieux envahissait le logement, la chambre, comme une fumée.

Plantin, toujours assis, regarda les toits et la nuit.

« Je serai comme ça quand je serai mort, pensa-t-il. Seul et regardant la nuit. » Ce n'était pas là des pensées pour un vendeur du rayon Pêche, et pourtant il s'y attarda. Il s'ébroua, se déshabilla, se coucha en slip, un drap sur le corps tant la nuit était chaude.

« Tu ne connais pas ton bonheur, qu'ils m'ont dit. Non. Je ne le connais pas. Je ne vois pas. Vraiment... »

Il éteignit la lampe.

Malgré « l'exode en masse des Parisiens », des automobiles, dans la rue Beaubourg, ronflaient comme seules les tuyauteries d'hôtel savent ronfler.

... Et des automobiles...

... Et des automobiles...

CHAPITRE IV

« Tante Louise était très contente de son dessous de plat. Hier nous nous sommes baignés. Il faisait très beau. Nous sommes tous en bonne santé, même Fernand. Dieu merci, en vacances, il se porte toujours bien mieux. C'est sans doute à cause de l'air qui n'a pas d'oxyde de carbone. Mon chéri, déjà une semaine où tu es tout seul. Comment te débrouilles-tu pour manger? Pour le midi, je suis tranquille, tu as la cantine, mais le soir? Ne mange pas trop de conserves. Fais-toi plutôt des œufs et des biftecks. Tu ne dois pas avoir trop de travail, à la Samar. J'ai vu à la télé que Paris était presque désert, etc. »

La mère Pampine plissa ses petits yeux en rétrécissement d'urètre :

— Les nouvelles sont bonnes, monsieur Henri? La petite famille va bien?

Comme si elle n'avait pas lu la carte avant lui! Il souffla « Très bien » sans oser la fixer et partit à grands pas. Depuis le départ de Simone, il prenait son café chez Rosenbaum. Dans la rue du Maure, étroit boyau parallèle au passage, les clochards du

quartier, Pompidou en tête, apportaient leurs tré-
sors au chiffonnier de gros. Ils arrivaient de toutes
parts, insoucieux des sens uniques, tirant derrière
leur dos, comme des insectes, à l'aide d'une corde,
des ballots de cartons, de journaux, des pyramides
branlantes de cageots. Hilares ou mal embouchés,
les indigènes de la nuit battaient tous des paupières
sous le soleil.

— Dis voir, Rosenbaum, questionna Plantin en
remuant son café, tu t'en aperçois, toi, que Paris est
presque désert? C'est ce qu'ils ont dit à la télé.

— Y a autant de monde. Ou si c'est pas autant,
pas loin.

— C'est ce qui me semble. Pourtant, on est pas
fous, il y en a qui sont partis. Plus d'un million. Dont
mes gosses, ma femme, Bitouillou, Vivadusse, etc.
Alors?

Rosenbaum demeura perplexe avant de trancher :

— Alors, c'est qu'il y en a d'autres qui les ont
remplacés. Des campagnards, des étrangers.

— Quand même, quand même, murmura Plan-
tin que cette explication ne satisfaisait qu'à demi.

Quoi! Dans la rue Saint-Martin, il passait autant
de voitures qu'en juin, qu'en mars ou qu'en novembre! Et ces voitures se trouvaient également — par
quel don d'ubiquité? — en Bretagne, en Auvergne,
dans le Midi, partout... et rue Saint-Martin. Car
celles-ci, sous son nez, là, comme leurs sœurs de
Bretagne, et d'Auvergne, et du Midi, étaient bel et
bien immatriculées 75. Il y avait là-dessous un pro-
blème dont Plantin n'avait jamais lu la solution dans
des journaux trop occupés, par manque de copie, à

prétendre que Paris était vide et qui n'hésitaient pas, pour le prouver, à publier des photos de la place de la Concorde ou d'ailleurs prises à quatre heures du matin.

— Enfin, si ça les amuse...

— Eh bien, fils, tu parles tout seul?

C'était Georgina, venue de la rue aux Ours, car elle aimait le « jus » de Rosenbaum. Pauvre Georgina au cheveu d'azur chimique couvert d'un vaste béret blanc, aux lunettes en fer derrière lesquelles vous louchiez avec frénésie, à robe d'été dont l'imprimé éclatait d'aras aveuglants, plaquée sur une maigreur de bicyclette, aux jambes — deux parenthèses — ligotées par les ficelles des varices, pauvre Georgina, quels charmes vendiez-vous? A quel prix? Et à qui?

Comme elle n'y voyait pas à deux mètres, elle souriait et clignait de l'œil, mécanique, toutes les trente secondes, à toutes les ombres, garçonnets, ménagères, ecclésiastiques ou gardiens de la paix.

Henri avait une vraie affection pour elle, qui l'avait vu ou presque naître à la vie d'un quartier qui avait bien changé en quarante ans. Georgina, elle, n'avait pas bougé. A vingt, à vingt-cinq ans comme à soixante aujourd'hui, elle avait déjà cette tête d'effraie, ces lunettes, et cette allure sautillante de pintade qui vient de prendre un coup de bâton.

— Je te paie un rhum, fils.

— Je veux bien, Georgina, mais je remettrai ça, je te préviens.

— Je te ferai pas d'offense, fils.

— Ça va les affaires?

— Ah! pas le diable. Je suis pas Bardot. C'est rien de vieillir, mais c'est les clients — le fond de la clientèle, quoi, je compte pas trop sur le passage — qui vieillissent. Z'ont moins d'idées folles qu'avant. J'en avais qui venaient tous les quinze jours, je les vois plus que tous les six mois.

— Tu devrais prendre ta retraite.

Elle eut un bon rictus qui était son vrai sourire :

— Pour quoi faire, fils? J'aime pas la campagne, moi. J'ai même seulement jamais dragué dans le Bois de Boulogne, y a des fourmis. Moi, mon pays, c'est le Topol, la rue aux Ours. Sûr que je pourrais rester dans le coin à me les rouler, j'ai un peu de blé à gauche, quand même, je suis pas folle, mais non, non. Je m'ennuierais, telle que je me connais. Il me faut de l'activité. Et puis, tu me croiras si tu veux...

Elle baissa la voix, se pencha sur Henri :

— ... Le répète pas, fils, ça ferait marrer, mais j'aime plaire. Et plus ça devient difficile, plus je me cramponne. Ça me stimule. Plaire. C'est ça, les putains, fils, rien d'autre. On se gourre, sur nous. Ce qu'on veut, c'est plaire à dix mille, à cent mille mecs. Plaire. A la tienne, petit.

Elle le baisa au front avant de repartir, radieuse de disgrâce, saluée par les gaudrioles que lui lança un Gogaïlle loqueteux en la croisant. C'était par pure courtoisie, par gentillesse qu'Ulysse Gogaïlle lui débitait toujours une horreur ou deux, pour qu'elle crût encore qu'elle était femme...

— Salut. Riquet, fit Gogaïlle en ouvrant la porte du café, je t'emmène?

— J'arrive. Schmoll, je te paierai ce soir.

Rosenbaum acquiesça tout en reniflant avec amour une tête de carpe en gelée que venait de lui apporter Mme Goldenberg sa maîtresse.

Gogaîlle et Plantin descendirent sans se presser la rue Saint-Martin. Gogaîlle soupirait :

— Si c'est pas malheureux, par un soleil pareil, d'aller s'enfermer toute la journée dans le métro!

— Charrie pas, qu'est-ce que je devrais dire, s'indignait Henri. Toi, au moins, t'es pas forcé!

— Ah çà, Riquet, crois-tu que la mendicité rapporte autant que le pétrole? Suis-je coté en Bourse? Vais-je au travail conduit par un chauffeur? Crois-moi, si je mendie pas, personne mendiera à ma place!

— Ulysse, va te faire plaindre ailleurs, tu veux? Moi, j'ai pas le temps. Si jamais je te rencontre, je te file un bouton de culotte.

— Si chaque Français me donnait vingt sous, rêva Gogaîlle, seulement vingt sous, et vingt sous c'est rien, c'est un centime, y a pas grand monde qui se baisse pour ramasser ça, ça me ferait au moins quatre cent mille francs de Gaulle, quarante millions anciens, tu te rends compte?

Il ajouta, généreux :

— Je t'en donnerais la moitié, Henri. Me remercie pas. C'est tout naturel. Vingt sous... Vrai, c'est fou ce que les gens sont avares! Ils pèleraient un pou pour en vendre la peau!

Ils arrivaient devant une bouche du métro Châtelet. Des gens sortaient, se bousculaient, se hâtaient, fonçaient se mettre au garde-à-vous devant de gros messieurs maussades qui allaient fréquemment par couples comme de simples duettistes de music-hall : « Établissements Balloche et Valsœur... Roubignol et Turlute... Joyeuse et Rouleaux... »

Gogaîlle hocha la tête, attentif à ces courses, plus obscures que celles des insectes :

— Montaigne raconte qu'un jour Ésope vit son maître pisser tout en marchant. « Quoi donc, s'écria-t-il, nous faudra-t-il chier en courant? » Nous y allons, Riquet, nous y allons!

— Moi j'y vais, en tout cas. Salut, papa, je suis à la bourre.

Et Plantin s'en alla au trot vers la Samar, longuement suivi par l'œil apitoyé de son ami.

« Tenez, mon pauvre homme », souffla une dame en glissant une pièce dans la main de Gogaîlle. « Ça va, songea-t-il, je suis présentable aujourd'hui », et il gagna la fraîcheur pas très fraîche des couloirs souterrains.

Le gros des pêcheurs était sur l'eau. Écartant les brouillards et les rideaux de l'aube, ils atteignaient leur rivière, le cœur battant, ensommeillés mais touchant à la vie, enfin, après des mois de mort au ralenti, de fumées d'usine, de regards précipités aux horloges, de « bonjour monsieur », d'heures de train, de métro, de merde noire en tranche ou en bâton. Ils étaient là, sur la berge, et le martin-pêcheur leur disait que non, l'oiseau bleu n'était pas un rêve. Ils étaient là, pesants de matériel choisi avec ferveur tout au long de l'année grise, avec dans leur panier le bonheur du fromage et du vin, dans la tête des bouffées d'espoir et des visions de fleurs des prés. Non, ils n'accrocheraient pas leur hameçon dans une branche, non, il ne pleuvrait pas, ce vilain nuage s'en irait crever là-bas sur une compagnie de gendarmerie, non, ce poisson énorme ne casserait pas leur fil.

Doux comme une main d'enfant, le soleil caressait leur casquette, les ruisseaux colportaient leurs lumières de vairon en vairon. Les gardons frais aux nageoires de pourpre sentaient bon l'herbe, donnaient des coups de queue dans la bourriche neuve. « Je vous la conseille, c'est un modèle très pratique à mailles serrées, large ouverture. »

Plantin pensait à eux avec tendresse, adossé à un comptoir du rayon Pêche. A ce rayon, du moins, on ne subissait guère la clientèle féminine. Bien sûr qu'ils ne savaient jamais ce qu'ils voulaient, les pêcheurs, qu'ils étaient tatillons, hésitants, maniaques, énervants, fatigants. Mais il savait où ils étaient, à cette heure-là, munis des mille et un articles qu'il leur avait vendus. Il imaginait leurs rivières, leurs coins préférés, là, au ras de l'herbier, là, près de l'arbre mort ou de la vieille barque, les paysages qu'ils traversaient sans les voir, guettant le sentier sombre qui les conduirait, les tenant par le bras, là où courait l'eau fantastique, l'eau qui avait tant couru sur leur lit quand ils songeaient à elle avant de s'endormir, rompus par un jour imbécile qui se relèverait demain, et même après-demain...

Plantin les aimait tous, même ceux qui l'avaient le plus embêté. Il pensait ensuite à la Besbre, sa rivière à lui, qui serait si belle en septembre pendant que, dans les lointains, des coups de feu effraieraient les perdrix...

C'était un mois tranquille, au rayon Pêche. Bouvreuil s'ennuyait, surveillé par Mme Bouvreuil dans un trou perdu du Périgord. Les rares clients qui avaient pris leurs vacances en juillet narraient leurs pêches mirifiques à Plantin, qui s'en fichait. D'autres les prendraient le mois prochain, comme lui, et ils s'animaient ensemble :

— Septembre, y a pas mieux. Le poisson mord, après les grosses chaleurs.

— L'ennui, c'est que les jours raccourcissent.

— Ça oui, mais on peut pas tout avoir.

— Donnez-moi donc une sonde, j'ai perdu la mienne.

— Prenez-en deux ou trois, des fois, à la campagne, on trouve rien.

Il ne put, malgré ses efforts, fixer son esprit sur Simone et les gosses à la mer. Il goûtait assez, maintenant, le calme de cet appartement vide. Il y dînait en célibataire, pieds nus, pouvait enfin renverser son verre de vin sans déclencher une émeute. Certes, neuf boutiques sur dix étaient fermées. Bouchers, charcutiers et crémiers étaient quelque part en croisière à bord de leur yacht, ou bien buvaient un Scotch sur la terrasse de leurs châteaux en Sologne. Les minables qui leur avaient payé — car la maison ne fait surtout pas de crédit — ces bagatelles en étaient quittes pour aller chercher leur baguette de pain à trois kilomètres de là. Plantin abusait donc du cassoulet et de la choucroute en boîte, malgré les recommandations de son épouse. S'il attrapait le scorbut, cela deviendrait grave, évidemment. Plus un docteur, un pharmacien ou un dentiste dans la ville. Mais alors — il regarda encore la rue de Rivoli

— qu'étaient donc tous ces gens? Tous des touristes? La question se reposait, toujours la même, toujours irrésolue. Il devait malgré tout rester quelques millions de Plantin dans le secteur. Il y était bien, lui.

Lorsqu'il sortit de la Samar à dix-huit heures trente, ses pas le conduisirent tout naturellement vers la Seine. Rien ne le pressait de rentrer. Il décida de se promener un moment, libre et les mains dans les poches.

Il aimait le quai de la Mégisserie, ses marchands de grains et de fleurs, ses vendeurs d'oiseaux et de souris blanches.

Il portait des mocassins en « vachette traitée genre daim, forte semelle en *compost* », un pantalon clair qui rigolait aux deux genoux, une chemisette en « tissu Boussac », et son éternel blouson. La recherche vestimentaire, dans la famille, était plutôt réservée aux seize ans de Véronique. Henri n'y trouvait rien à redire : il était fort au-dessus de ces considérations. Les temps des bals et ceux des « emballeurs » étaient passés, cuits, morts. Qu'aurait-il fait d'un complet du bon faiseur pour aller quotidiennement de la rue Saint-Martin à la Samar et retour? Demain dimanche, il resterait un peu plus tard au lit, repeindrait le débarras — quelle surprise serait-ce pour Simone! — et, sur le coup de midi, s'en irait boire l'apéro chez Rosenbaum, non sans avoir joué 1.7.9. au tiercé. 1.7.9. Il ne changerait pas d'un chiffre. Une fois, pour ne pas s'être tenu à son idée première, il avait perdu un million. Il en avait été malade — couché! — une semaine. 1.7.9.

La carotte du tiercé se promenait ainsi chaque dimanche sous le nez de la France éblouie, projetant aux yeux de tout un peuple la poudre de ses mille facettes de miroir aux alouettes. Il était là, flamboyant, le Livre des Nombres de Moïse, à la portée enfin des ébaubis. Il y avait, en cette église nouvelle, des élus, des appelés et des miracles. Il pouvait tout, ce Dieu, tout apporter à ses fidèles : la maison de campagne, la voiture, ou, plus modestement, la TV à deux chaînes, oui, oui, oui. On ne croyait plus qu'en lui pour se sortir de là, on se répétait des contes de fées :

— Il joue sa date de naissance, pour se marrer : trois briques!

— Il a foutu tous les numéros dans un chapeau. Il en a tiré trois : cinq cents billets!

— Il était à la ramasse. On lui prêtait même plus cent balles. C'est sa petite-fille, oui, sa môme qui l'a tiré du puits. Elle a cassé sa tirelire et l'a portée au P.M.U. Jamais vu un bourin de sa vie. Jamais vu un brin d'herbe. Jamais pu aller en vacances. Elle a joué mille balles, au flanc. Huit millions, mon pote, huit millions, qu'on me les coupe si je mens!

1.7.9. 1.7.9.

Il traversa sans trop regarder, un peu noyé dans les vapeurs de l'or, plus nocives que celles de l'essence. Un coup de freins le fit sauter.

— Loquedu! Besogneux! Populiste! tempêta un conducteur imaginatif avant de repartir.

Plantin se retrouva, troublé, contre le parapet des bouquinistes. Il tourna le dos au monde et regarda la Seine sans la voir. Pourquoi celui-là ne l'avait-il

pas traité de sodomite, comme tout le monde? Pour
quoi « loquedu », « besogneux » et pourquoi « populiste »? Henri ne savait pas trop bien ce que signifiait
ce mot. Pour dire vrai, pas du tout. Mais ce devait
être sérieux.

Il eut alors un grand trou noir devant les yeux et
dans ce gouffre tonnait une voix irréelle qui lui disait
en face : « Oui, Plantin, tu n'es qu'un loquedu, qu'un
besogneux, qu'un populiste! Tu n'es rien d'autre
qu'un élément médiocre de la foule. Tu n'es qu'un
pauvre vendeur au salaire aussi modeste que la vie.
Que tu saches jouer à la belote ou attraper des ablettes à la pâte, que veux-tu que cela nous fasse? Ta
femme est médiocre, tes enfants seront des médiocres, tu es médiocre comme l'étaient ton père et
ta mère. Ce M. Dupont dont les journaux nous ap-
prennent qu'il mange tant de pain par jour, qu'il boit
tant de vin, qu'il fume tant de cigarettes, qu'il se
marie à tel âge et qu'il meurt à tel autre, ce M. Dupont que tu ne connais pas, c'est TOI, Plantin Henri!
C'est toi le Français moyen, l'homme moyen, le pauvre type, le loquedu, le besogneux, le populiste! C'est
toi le con, quoi! Le bon con, d'accord, mais le con
quand même. Pas une virgule dans *France-Soir*,
quand tu mourras. A moins que tu ne tues, Éro-
strate, le Président. Mais tu n'en as aucune envie. Tu
ne ferais pas de mal à une mouche de la Préfecture.
Tu es la masse. Le piéton interminable. L'automobiliste à jet continu. Le grand rien du grand tout, le
zéro Plantin. »

Il ne se révoltait pas. La voix avait raison de lui
parler si durement. Plantin n'était que nullité satis-

faite comme toutes les nullités. C'est un instant terrible que celui où l'on n'arrive pas à se trouver beau dans sa propre glace. Le « moi » content de lui s'écrase contre le mur en un jaillissement d'œuf pourri.

Plantin ôta le masque de ses mains plaquées sur son visage anonyme. Il soupirait comme un ballon se dégonfle.

« Quand même, bredouilla-t-il, je vis... » Un monsieur à chapeau lui jeta un regard de doute. Une belle fille passa ensuite, Plantin eut le réflexe idiot de lui sourire. Elle haussa imperceptiblement les épaules, tant il lui paraissait absurde, incongru, qu'un vulgaire populiste pût lui sourire. Henri fut triste. L'univers entier le tenait pour fretin, quantité négligeable. Un moineau pourtant vint se poser non loin de lui, qui n'osa plus bouger. S'il n'était pas grand-chose, lui, Plantin, qu'était donc ce moineau dans le poing de Dieu?

Il n'avait pas de miettes à lui jeter, et le moineau déçu s'envola. Les médiocres sont dangereux dès qu'ils le réalisent. Henri rêva d'un lance-pierre. Les hommes, les femmes, soit, mais pas les moineaux, pas les moineaux! Les mitrailleuses sont fort avisées de ne point courir les rues. Si Plantin en avait eu la moindre à sa disposition, à cette seconde-là, lui le simple, le petit, le passable, eût arrosé de balles toutes ces carrosseries, toutes ces fenêtres et toutes ces têtes interchangeables qui n'étaient qu'un reflet de la sienne. Il y avait du crime dans l'air et sur le quai de la Mégisserie.

Ce fut alors qu'une douceur inattendue tomba en

plein sur le vendeur du rayon Pêche, douceur de soir d'été parisien, mallarméenne, encore qu'il ne sût rien de Mallarmé :

J'errais donc, l'œil rivé sur le pavé vieilli
Quand avec du soleil aux cheveux, dans la rue
Et dans le soir, tu m'es en riant apparue...

A la vérité, elle ne riait pas. Elle était si jolie qu'il n'y avait pas de quoi rire. Ce soleil aux cheveux les rendait encore plus blond pâle qu'ils n'étaient. La robe rouge qu'elle portait avec une majesté de cardinal les rendait encore plus blonds, encore plus pâles. Aussi la bouche.

Jamais Plantin n'avait rien vu de plus beau que cette femme et tant de beauté le calma comme un bain.

Elle passa devant lui, à un mètre de lui, si près qu'il en sentit l'amer parfum de fruit interdit.

Il faillit avoir un geste fou pour l'empêcher de s'en aller, de disparaître. Ah! ce n'était pas juste qu'elle partît si vite! Il faillit aussi la suivre, au moins la suivre pour la voir encore un peu. Mais il n'en eut pas le courage. Elle n'était pas pour lui. Trop belle. « Plantin, mon vieux, soyez donc raisonnable! » Il grelotta dans cette maison froide.

La robe rouge s'éloignait, Plantin demeurait adossé à la pierre plus dure que les pierres.

Puis ses yeux perdirent la robe rouge, et ces yeux étaient vagues de larmes, et Plantin secoua la tête. Mirage, la robe rouge, mirage comme le tiercé, comme la joie, comme tout. Il regarda la Seine, non pour y voir éclore les petits ronds de gobages des ablettes, mais avec l'envie sourde de s'y jeter et d'y finir sa vie de loquedu, de besogneux. Souvent, hélas, l'homme n'est pas seul à décider ; il lui faut porter son chagrin pour n'en pas faire aux autres, qu'indiffère pourtant le sien.

« Ça passera, souffla-t-il, ça passera. Ça m'est venu de trop regarder les toits la nuit. Si ça se trouve, ça se guérit par des médicaments, je demanderai au docteur Bouillot. Faut pas que je me laisse aller, j'ai trois gosses. »

Il fit un signe idiot aux ablettes et se mit à marcher vers le Châtelet.

Une robe rouge venait à lui. On frappa les trois coups dans le cœur de Plantin. Est-ce que... c'était... il y a tant... de robes rouges... à Paris... au mois d'août...

Oui ! Il y avait des cheveux blonds et pâles au-dessus de la robe rouge !

Cette fois, il lui emboîterait le pas, de loin, de très loin. Il marcherait derrière elle et, comme un clochard suit avec entêtement un fumeur de cigare pour ramasser le mégot, il suivrait la robe rouge pour en respirer, amer ou non, le parfum.

La jeune femme n'était plus qu'à dix mètres de lui qui, bouleversé, s'arrêta pour allumer une cigarette.

Elle eut un sourire en l'apercevant, s'arrêta elle aussi, devant lui, presque à le toucher. Et parla. Lui parla. A lui.

— Monsieur... S'il vous plaît... Je suis perdue...

Elle avait un attendrissant, un ineffable accent anglais, et prononçait « perdoue ».

61

Il la contemplait, ahuri. Elle rit et reprit :

— Je voulais aller... au Panthéon.

Qu'elle articulait, la délicieuse, « Panthéone ». Il comprit qu'il lui fallait répondre, et vite, sans quoi elle le prendrait pour un fou et le quitterait. Il bredouilla, la gorge en bois :

— Vous voulez aller au Panthéon?

— Oui.

— Eh bien, voilà... Vous prenez le premier pont à droite, vous traversez la Cité en passant devant le Palais de Justice...

Elle fronçait le nez pour saisir le sens de ce Français écarlate qui parlait si vite. Elle rit encore :

— Pardon. Vous parlez très vite. Je ne comprends pas.

Elle avait été bien inspirée en ne demandant pas son chemin à un prêtre. Le saint homme en eût tué deux confesseurs sous lui. Plantin n'avait jamais approché de teint plus frais ni de peau plus douce, ornée de quelques taches de rousseur posées là par un créateur de génie. Il osa un sourire et, le bras tendu vers le Pont au Change, reprit avec lenteur ses explications. Elle l'écoutait, attentive à ne pas lasser ce monsieur complaisant.

— Vous avez compris?

Elle murmura un « oui » sans conviction et soupira :

— C'est grand, Paris.

Il prit son élan pour lancer :

— Je peux vous accompagner.

— Accompagner?

— Oui... Aller avec vous, au Panthéone.

Elle s'éclaira :

— Vous pouvez ?

Se rembrunit :

— ... Non. Je vous... *disturb*... dérange. Dérange ?

— Oui, c'est ça, dérange. Vous ne me dérangez pas du tout.

— Pas du tout ?

— Au contraire.

Il se fit désinvolte :

— J'ai tout mon temps. Je me promène.

Elle le remercia :

— Vous êtes très gentil. Si. Si. Très.

Il n'avait pas l'allure de certains Français dont les arrière-pensées manquaient par trop de discrétion. Son côté embarrassé paraissait à l'Anglaise des plus rassurants.

— Venez, fit-il.

Ils marchèrent côte à côte, lentement. Plantin n'était pas pressé de la perdre, adoptait un pas de flâneur des deux rives. Elle balançait, heureuse, un petit sac à main noir. Oui, elle était heureuse, épanouie, jeune et vive. Elle devait avoir vingt-cinq ans, ou vingt-six. Elle était même un peu plus grande que lui. Il est vrai qu'elle était anglaise. Henri n'avait jamais parlé à une Anglaise. C'était pour lui un bien grand charme que d'être à ce point anglaise. Elle eût été muette qu'il n'en aurait jamais rien su. Le mot femme est un mot par trop impropre, qui peut désigner à la fois une mère Pampine et une grâce en robe rouge. Il s'en voulut d'avoir évoqué la concierge au moment même où l'Anglaise reprenait :

— C'est très bien, de marcher pas vite. J'ai marché tout la journée. Paris est très beau, mais très grand pour mes jambes. Vous êtes gentil d'ac... de m'ac... Comment?

— De m'accompagner.

— De m'accompagner. De m'accompagner. Il faut que je me souviens. Comment trouvez-vous mon français?

Il la fixa, étonné :

— Quel Français?

— Le mien. Le français que je parle.

Il éclata de rire. Ce fut à elle de le considérer avec surprise.

— Excusez-moi, mademoiselle. J'avais compris « mon Français ». Un homme.

Elle rit à son tour, et il eut alors la terrible impression qu'elle le regardait pour de bon, et qu'il volerait en morceaux lamentables après un pareil examen. Mais non, elle souriait :

— Vous avez le sens de l'humour, monsieur. « Mon Français », c'est très drôle.

— Vous croyez? murmura-t-il, peu convaincu.

Elle lui désigna la Seine, quand ils furent sur le pont.

— C'est la Seine, dit-elle.

— Oui, c'est la Seine.

— Je pense que Napoléone s'est regardé dans la Seine. C'est sûr. Au moins une fois.

— Peut-être.

Il n'avait jamais vu si loin, lui, sur la Seine.

— ... Je trouve terrible que Napoléone s'est regardé dans la Seine, comme nous.

Il marmonna :

— Ça oui... quand on y pense.

Un duvet de poussin frissonnait sur la nuque de la jeune femme, un duvet où l'air passait les doigts. Ce n'était plus vraiment blond, c'était si blond que... que... et que... Henri se pinça au travers de la jambe de son pantalon pour s'assurer qu'il n'était pas la proie d'un rêve... Non, elle vivait, elle parlait, c'était une jeune Anglaise d'une beauté déchirante, tout à fait cela, oui, déchirante. Car elle le quitterait d'ici dix minutes et il resterait sur le carreau, déchiré, plus loquedu et plus besogneux que jamais.

Ils repartirent. Il lui devinait, sous la robe rouge, de longues cuisses, longues, longues, comme des brochets de soie, avec sur la peau le duvet même de la nuque. Il en fut étourdi. Cet alcool était trop violent, après le train-train du passage et du rayon Pêche.

— Vous êtes pâle, s'effraya-t-elle.

Il rougit et eut la présence d'esprit de jeter :

— Pas du tout. Je suis rouge.

Elle le regarda comme tout à l'heure :

— Je trouve terrible — elle affectionnait ce mot « terrible » qui devait lui remplacer bien des adjectifs compliqués — votre sens de l'humour.

Il en fut flatté. Il n'était peut-être pas aussi médiocre qu'il avait bien voulu se le répéter comme avec un marteau.

— Vous avez peut-être des parents britanniques ?

— Ah ! non, pas du tout.

— Vous ne savez pas un peu l'anglais ?

— Pas un mot. A part... ping-pong...

Elle pouffa à chacune de ces citations :

— ... Snack-bar... basket-ball... rocking-chair...

Il retint à temps le peu correct « water-closet ». Il eut l'idée tardive de jeter un coup d'œil sur sa main gauche. Elle ne portait pas d'alliance. Seulement... les Anglais portaient-ils des alliances? Il dut s'avouer qu'il n'en savait rien. Qu'il ne saurait rien d'elle, pas même son prénom. Margaret? Marilyn? Elisabeth? Il glissa, habile :

— Je m'appelle Henri.

Elle ne parut pas l'avoir entendu.

— C'est la première fois que vous venez à Paris?

— Oui.

— Vous êtes à Paris depuis longtemps?

Il s'astreignait à parler lentement, pour qu'elle le comprît mieux. Elle lui en avait su gré, d'ailleurs, d'où sourire qui lui avait retourné le cœur comme une peau de lapin.

— Depuis trois jours.

— Trois jours! Mais vous parlez très bien français!

Elle crut qu'il se moquait d'elle :

— Je n'ai pas appris en trois jours. Je savais déjà. J'ai appris à l'école.

Plantin n'avait rien appris, lui, à l'école. Et ce petit sagouin de Gilbert qui n'en apprenait pas davantage! Si tous les Français étaient assurés de rencontrer un soir une robe rouge née dans les îles britanniques, c'est avec volupté qu'ils apprendraient la langue que la jeune femme, présentement, passait sur ses lèvres pour en aviver l'éclat. Soudain, elle lui dit en face :

— Mon nom est Patricia. Patricia Greaves.

— Patricia...

— Mais on m'appelle Pat.

— Pat...

— Qu'est-ce que c'est?

— La fontaine de la place Saint-Michel.

— Ah! très bien.

— Elle ne semblait pas gênée de se promener à ses côtés. Il n'avait rien du gentleman, et se mit à mentir pour se rendre intéressant :

— Pat...

Il mordait dans ce nom à goût d'orange.

— ... Pat... je suis confus. Vous comprenez, confus?

— Confused, yes.

— Confiouzd, si vous voulez. Je suis confiouzd pour mon habillement, mais je suis un artiste. Je suis peintre.

Elle écarquilla l'émerveillement de ses yeux gris.

— Henri! Vous êtes peintre!

— Oui, acheva-t-il, modeste.

Il avait touché juste. Il grandissait brusquement de vingt centimètres. Il n'était plus pauvre, il était pittoresque, wonderful et bohème. Sa mise de tous les jours ouvrables devenait une pose amusante, un mépris des conventions bourgeoises, voire même une révolte sauvage contre la société!

Pat eut une moue désolée :

— Vous allez être déçue par moi. Je ne connais rien en peinture.

Il réprima un gros soupir de soulagement et sourit :

— Moi non plus.

Les yeux gris s'ouvrirent encore plus grands, encore plus beaux :

— Vous non plus?

Il prit un ton désabusé qu'il estimait des plus artiste :

— Personne ne connaît la peinture. La peinture est à inventer.

Rageur :

— Il n'y a rien, rien, derrière les tournesols de Van Gogh.

Il se souvenait à propos d'une affiche d'exposition placardée des mois rue de Rivoli. Il dit n'importe quoi :

— Rien, que le silence. Et que la mort.

C'en était trop. Pat, grave, lui serra une seconde le bras.

Que Paris était beau pour Plantin, ce soir-là, et plaisant l'U.N.R., folâtres les chauffeurs de taxi, sympathiques les passants et souriants les flics! Il y avait enfin quelque chose de changé de par le monde. L'Atlantique engloutit Simone et les enfants, les restitua sous forme de bulles. La mère Pampine rendit et l'âme, et tripes, et boyaux. Un tremblement de terre fit table rase des quatre magasins de la Samaritaine. 1.7.9. fut la plus grosse cote du tiercé, cette année-là. De Gaulle chanta *La Marseillaise* à l'Olympia au profit des objecteurs de conscience. Les contractuels se dressèrent contravention pour stationnement abusif sur la planète. Les H.L.M. se couvrirent de toits de chaume, disparurent sous le lierre et l'ampélopsis. Les cheminées d'usine donnèrent des fruits plus savoureux que ceux des Hespérides. L'Angleterre cessa d'être une île et fit entrer Henri Plantin au sein du Commonwealth.

Elle l'avait appelé Henri, elle lui avait serré le bras.

Elle avait sur la tempe une mèche impalpable.

— Où habitez-vous, en Angleterre?

— A Londres.

— Oh! là là, il y a toujours du brouillard, à Londres.

— Les Français disent cela. Il y a du brouillard à la saison du fog. Après, il n'y a plus.

Ils remontaient le Boul'Mich', et Pat s'étonna:

— La France n'a plus de colonies, n'est-ce pas? Pourquoi tous ces negroes? noirs?

— Eh bien, voilà: la France n'a plus de colonies, ce sont les colonies qui ont la France. Le Quartier latin est aux Noirs, Pigalle est aux Arabes. C'est un juste retour des choses.

— Je comprends. A Londres, nous avons les Jamaïcains.

— Si tout va bien, nous serons civilisés un jour, et nous pourrons enfin manger du missionnaire à notre tour. Avec les doigts.

Ce rire. Ce rire... Ce rire! Il prit sournoisement la main de Pat, à la hauteur de l'abbaye de Cluny. Elle ne parut pas y prendre garde. Il était peintre. Très gentil. Et Français. Le moins que puisse faire une Anglaise est de se laisser prendre la main sans protester par un Français.

Un photo-stoppeur braqua son appareil sur eux. D'un geste qu'il voulut machinal, Plantin enfouit dans sa poche le ticket qu'on lui tendit. Il en éprouva tout un immense soulagement. Quoi qu'il arrivât, il garderait de cette rencontre, de cette promenade, un souvenir solide qui lui prouverait, plus tard, qu'elle avait vraiment existé.

— L'année dernière, disait Pat, j'ai pris mes vacances en Turquie. L'année avant, j'ai pris en Allemagne. Et vous ?

— En Espagne. Je voulais étudier la lumière.

— C'est beau, l'Espagne ? Je voulais aller aussi.

— Ça a beaucoup de... de... Ah ! comment dire ?... de personnalité.

— Je crois. L'année prochaine, j'irai.

— Vous aimez voyager ?

— J'aime assez.

— Vous êtes seule, à Paris ?

— Je suis toujours seule.

— Même à Londres ?

— A Londres surtout. Vous êtes seul, vous ?

Un mensonge entraînait l'autre :

— Oui.

Elle agita un doigt de blâme devant son nez :

— Henri ! Henri !

et lui montra son alliance.

Il ne se troubla pas trop :

— Je suis seul en ce moment. Ma femme est au bord de la mer.

— Sans vous ?

Il prit un air sombre :

— Sans moi.

Discrète, elle n'ajouta rien, et regarda l'étalage d'un marchand de chaussures. Malgré la grille, la vitre renvoyait à Plantin leur image, et sa béatitude en prit un rude coup. Que faisait cette fille auprès de lui ? A Londres, se serait-elle promenée avec un type aussi peu reluisant que celui qu'il avait là sous les yeux, en face de lui? Il se rebiffa : « Après tout, j'ai un nez et une bouche, comme tout le monde! » Qu'avait-il pensé! Oui, Durand, *comme tout le monde*, c'est bien ce qu'on te reproche! Pat n'était pas comme tout le monde, elle. Bien qu'elle admirât les chaussures avec l'expression qu'ont toutes les femmes, fussent-elles indignes qu'on les déchaussât.

— Le Panthéon, fit-il, rue Soufflot.

Elle joignit les mains, comique :

— Ah! Je vais voir Napoléone!

Il sursauta :

— Napoléon?

— Oui. Courons. Henri, vous ne voulez pas courir?

— Pas la peine. De toute façon, il vous attendra. Mais pas au Panthéon.

— Pourquoi?

— Parce qu'il n'est pas ici.

— Oh! On vous l'a volé!

— Pat, les cendres de Napoléon n'ont jamais été au Panthéon. Elles sont aux Invalides.

— Aux Invalides?...

Elle était au bord des larmes, et Plantin craignit sa colère. Il n'y était certes pour rien quant à Napoléon, mais le peu qu'il savait des femmes était du moins qu'elles ne supportent guère la contradiction. Il fut toute douceur pour murmurer :

— Qui vous a dit que Napoléon était là? Pas moi, Pat. Vous auriez dû me le demander.

Elle secouait son sac, nerveuse :

— Je croyais. Il y a sur le Panthéone : « Aux

grands hommes la patrie reconnaissante. » Napoléon n'est pas un grand homme pour les Français?

— Si! affirma Plantin qui n'avait jamais tant parlé de l'empereur, si, bien sûr.

— Alors?

Il ne put opposer à cette logique britannique que la plus détestable fantaisie continentale :

— Alors, il est aux Invalides.

Il y' eut un silence que Plantin mit à profit pour philosopher. « Aux grands hommes, etc. » soit. Mais pourquoi pas un second Panthéon dédié « aux petits hommes »? Car, sans les petits, pas de guerres, partant pas de victoires, et, par voie de conséquence, pas de généraux victorieux à Wagram ou ailleurs. Henri, en l'occurrence partie, s'estimait lésé.

Pat eut une moue :

— J'irai aux Invalides. Demain.

— Où allez-vous, maintenant?

Elle était désabusée.

— Je ne sais pas...

Elle allait sans doute le prier de la laisser seule. Le soleil s'était couché. Henri eut froid par tout le corps. Ils se quitteraient là, elle le planterait face aux « grands hommes », lui, le plus petit de tous. Elle parlait pour elle-même :

— Je vais aller... Je vais aller à Saint-Germain-des-Prés.

— Oui...

— Vous êtes triste, Henri. Il ne faut pas être triste pour Napoléone. Ce n'est pas votre faute.

— Ce n'est pas pour Napoléon. Je suis triste parce que je vais vous quitter.

Elle cherchait son regard :

— Me quitter? Vous voulez me quitter?

— Je ne veux pas. Mais il le faut.

— Quelqu'un vous attend?

— Personne.

— Vous n'êtes pas bien avec moi. Vous embêtez-vous avec moi?

Il eut un sourire malheureux. Un clavecin étouffé sous un édredon jouait quelque part en son cœur *Les Tricotets* de Rameau. Malgré le nom, rien de très folâtre en cette musique. Elle insistait :

— Je vous ennuie, n'est-ce pas?

Il grogna, les yeux baissés :

— Te fous pas de moi, en plus.

— Comment? Je n'ai pas compris.

Il fut homme, et la fixa brusquement :

— Vous n'avez pas compris que je veux aller à Saint-Germain-des-Prés avec vous, que je veux dîner avec vous, que je veux vous voir demain, vous voir après-demain, vous voir tous les jours!

Il faillit conclure par un « na! » comme les gosses. Elle avait compris, cette fois, le dévisageait, amusée :

— Je vous trouve *terrible*, Henri, vous savez. *Terrible*.

Il sentit qu'elle lui prenait la main, la serrait fort entre les siennes.

— Je ne sais pas où Saint-Germain. Emmenez-moi.

Il eut une effrayante envie de l'embrasser. Il n'y résisterait pas. Il s'arracha d'elle, fit un pas en arrière et soupira :

— Venez, Pat. Patricia Greaves.

Il avait peur d'elle, à présent. Il réalisa qu'il eût mieux fait de rentrer chez lui directement en sortant de la Samar, au lieu d'aller quai de la Mégisserie, rencontrer une chose qui, souvent, tous les journaux vous le diront, ressemble à la mort. Mais il réalisait aussi, avec une netteté de flash, qu'il n'aurait jamais l'héroïsme de prendre ses jambes à son cou, d'enlever de sa vie comme un clou ces robe rouge et cheveux blonds trop pâles.

Elle chantonnait en anglais, certaine qu'il ne s'enfuirait pas maintenant, qu'elle aurait pour tout son séjour un guide correct à sa disposition. Gentil, ce peintre, gentil. Qui, demain, lui présenterait Napoléon. Qui, ce soir, écarterait d'elle ces mouches importunes que sont les mâles en chasse.

La chanson tendre et inintelligible qu'elle fredonnait bouleversait Plantin. Parfois, il ne voyait plus son visage dans la nuit descendue, ne distinguait plus que le clair de ses cheveux. Elle était revenue, quai de la Mégisserie, elle qui était passée. Elle n'aurait pas dû revenir. Il aurait gardé son cafard pour lui. Jusqu'à l'aurore qui l'aurait bien tué, ce « bourdon ». Elle en avait tué d'autres.

Pat ne chantait plus.

— Vous ne parlez plus, Henri?

— Vous ne chantez plus, Pat?

Ils étaient tout à côté des jardins du Luxembourg qui leur envoyaient des bouffées de fleurs et d'arbres. Deux amoureux s'embrassaient contre les grilles. En ce coin de Paris, Paris s'était calmé. Les pauvres colères d'Henri Plantin, Français moyen, en tombaient une à une en feuilles et en flammes. Il avait vingt ans pour la première fois et cela lui causait un drôle d'effet, ces vingt ans qu'il n'avait jamais eus. Il y avait droit comme tout assuré social.

Pat étendit les bras pour étreindre le monde, et s'extasia, les yeux fermés :

— I want to live! I want to live!... To live... *(Je veux vivre! Je veux vivre! Vivre...)*

Henri fut un peu dérouté par cet aspect animal de la jeune femme, inattendu chez une Anglaise, à son sens. C'était d'une voix plus forte, et roucoulante, qu'elle répétait, la poitrine en proue dans la nuit d'août :

— I want to live...

Ses lèvres humides s'entrouvraient pour happer cet air tiède. Elle murmura enfin, d'une autre voix, plus nette celle-là :

— Cela veut dire : je veux vivre. Il faut vivre, Henri. Je veux vivre.

Elle tremblait. Il la prit par le bras. Sans doute, il était temps de l'embrasser. A cet instant, elle y eût consenti. Mais après? Les après sont désolés. Tout, Henri, tout plutôt que d'ouvrir la main pour que l'oiseau louche, l'oiseau mouche, l'oiseau bouche s'envole! Il ne voulut prendre aucun risque. Seuls, deux événements peuvent bousculer le cours de ces existences étales. La guerre, qui peut acculer le premier venu à la légende et le jeter en sang — sergent Bobillot! — dans le Larousse. L'amour, de même, peut changer cette peau quotidienne et la distendre à bloc pour que s'y glissent un Hernani, un Sorel, un Fortunio très ahuris de se retrouver là. En un vendeur du rayon Pêche par exemple. Il suffit d'un éclair de chaleur sur Paris au mois d'août pour qu'éclate une grenade à l'endroit où sommeille n'importe qui. Nul ne croit à l'éventualité de cette grenade. Telle qu'au combat, elle paraît principalement destinée aux autres.

— Vous n'avez jamais fumé le haschich, Henri ?

— Ah! non... que des gauloises.

Elle ne riait plus. Tout au long de son corps, il sentait vivre le manteau de fourrure de son corps à elle.

— Moi, j'ai fumé le haschich, en Turquie. It's not pleasant. Pas bon. Je... cough... beaucoup. Comment se dit cela ?

Elle toussa.

— Tousser ?

— Si vous voulez. Je tousser beaucoup, beaucoup. J'ai pensé : ridicule, haschich, mauvais. Ils sont fous de fumer cela. Mais après je tousser longtemps, terrible, Henri, terrible! Comme marcher sur le ciel. « Drunk », ivre, mais pas comme au whisky, comme, comme... dans une poésie.

Elle fut étrange, alors :

— Il faut arriver à fumer le haschich sans haschich, vous comprenez ? Il faut vivre!

Elle ferma les yeux, encore, pour souffler son « I want to live ». Il eut comme un élan pour lui prendre la taille, mais cette taille ne s'abandonna pas, et il recula en désordre. Il n'en pouvait plus de cette obscurité. Les lumières de la place de l'Odéon lui donnèrent un semblant de sérénité.

— Pour combien de temps êtes-vous à Paris ?

— Jusqu'à la fin du mois, je pense.

— Vous travaillez, à Londres?

— Oui.

Elle quittait le bizarre et ses anges pour éclater de rire et regarder Henri sous le nez :

— Henri! Vous avez une figure! Qu'est-ce qu'il y a?

— Rien, Pat.

— Si! Vous n'avez plus sense of humour. Il faut rire! La vie est belle!

— Moins belle que vous.

— Oh! Frenchie! Petit Frenchie!

Elle posa vite ses lèvres sur sa joue, en papillon :

— Je suis belle, moi?

Il l'imita :

— Terrible.

— Non! Pas terrible! Je suis vieille. J'ai vingt-sept ans. Et vous?

Il hésita :

— Devinez?

— Trente-huit.

— Non. Dix de plus que vous. Trente-sept. Je parais plus, je sais. Mais j'ai vécu une telle vie...

— Oh! racontez-moi!

— J'ai souffert.

— Une femme? Deux femmes? Trois femmes?

Il fut désinvolte :

— Oh! non. La peinture. C'est pire que toutes les femmes. On en meurt, comme Van Gogh.

— On meurt aussi des femmes.

Il balaya de la main cette possibilité :

— Pas moi.

Il débita quelques clichés entendus à la radio ou lus dans *France-Soir* :

— Tout jeune déjà, je voulais exprimer le monde par la couleur. J'ai quitté ma famille à quinze ans. J'ai fait la guerre d'Indochine, je voulais voir de près le prisme de l'Orient et aussi celui de la peur.

— De la peur!

Elle s'émerveillait.

— Oui, la peur a ses teintes à elle. On dit blanc de peur. Vert de peur. Et c'est vrai. Mais il faut vivre à côté d'elle pour en étudier les nuances.

Elle saisissait mal sans doute ces subtilités de langage mais qu'importe, elle levait sur lui des yeux qui ne soupçonnaient pas, qui ne posaient pas sur le dos de cet homme la pauvre blouse grise du vendeur.

— Malheureusement, soupira-t-il, les marchands ne comprennent pas encore ma peinture. Je gagne mal ma vie...

Car seuls les artistes peuvent tirer gloire de la pire des tares.

— Mais, s'enfiévrait-il, y croyant presque, je ne me décourage pas. Un jour le succès viendra.

— J'en suis sûre, Henri, sûre. Vous me montrerez vos paintings.

Il traduisit et eut un instant de panique. Il n'avait pas prévu cet os. Mais cela signifiait, aussi, qu'elle accepterait d'aller chez lui...

Il hocha la tête :

— Certainement, Pat, certainement.

La foule des pédés en costume marin, des chaussettes sales des cinq continents, des écrivains guatémaltèques et des assassins de banlieue était au rendez-vous festival de Saint-Germain-des-Prés.

Il y avait là des cafés où pénétrer accompagné d'une femme n'était pas jugé du meilleur goût. D'autres qui empestaient l'éther. D'autres restés naïvement fidèles à « l'existentialisme » des années 46.

On jouait de la guitare assis sur les trottoirs. On prenait des pots de pisse sur le chef. On crachait sur le bourgeois par dépit de ne les rejoindre que si tard. Le bourgeois accourait de partout récolter ces pittoresques expectorations. Les vierges du 16e venaient s'y donner des airs de pouffiasses de port de mer. Des comédiens et des ministres mangeaient, chez Lipp, la choucroute en bonne compagnie. Car il y avait malgré tout des endroits respectables où le prix du cognac éliminait à lui seul et sans flics la clientèle douteuse.

Des fillettes aux yeux bleus, mettant en cause le néant, bouddhistes sur les bords, écartaient les cuisses pour un sandwich, connaissant comme pas deux leur absurde. Un furoncle préparait un film à l'intention des *Cahiers du Cinéma* :

« Une route. La nuit. Un type marche. Une heure et demie d'angoisse. A un moment le type s'arrête. On se demande ce qu'il va faire. Ce qu'il va faire : il repart. Il s'est arrêté à l'image de la vie, sans raison. Si j'ai un commentaire ? Kant ! Kierkegaard ! Pas le genre Audiard, hein ! Ça ne fera pas d'argent ? Je l'espère bien. Ce serait un échec, si ça en faisait. Où serait la pureté ? Je pense à Belmondo pour le rôle. Pourquoi pas ? Au lieu des six semaines de tournage, une nuit ! Même s'il me demande un million pour sa nuit, mon oncle me le donnera. C'est mon parrain, mon oncle. Il est dans les textiles. J'appellerai mon film X. Ixe. »

Un bubon expliquait son roman à une bouteille de Scotch qu'il prenait pour un homme :

« Ne m'emmerdez plus avec Flaubert, mademoiselle. Moi, je suis en train d'écrire " Monsieur Bovaree ". Oui, monsieur Bovaree. M. Bovaree est un Noir américain, paralysé dans une cave de Harlem, et qui refait le monde d'après la seule petite flamme dansante de sa bougie. Il l'appelle Marilyn, sa bougie, car elle est l'esprit et l'essence de Monroe. Quand elle s'éteindra, il retrouvera l'usage de ses jambes d'entité, sortira dans la rue et se les fera couper — les jambes! pas d'obscénité, hé, salope! — par un autobus. »

Un peintre borgne aux cheveux en triple queue de vache collait, face à l'église, des pépins de citron sur une toile dégoulinante de goudron. Dans un coin d'ombre, un Américain bien tranquille embrassait un groom sur la bouche.

Un petit jeune homme charmant vomissait son excellente éducation dans le caniveau. Il serait dans la politique ou dans le yaourt, comme papa.

Plantin ne connaissait guère les quartiers chers à « l'intelligentsia ». Il était en ces lieux à peu près aussi étranger que Pat.

— Ne quittez pas mon bras, conseilla-t-il. Sans ça, vous serez tirée dans un couloir, et violée.

— Violée, qu'est-ce que c'est?

— Je ne sais pas comment dire, moi... Vous ne comprenez vraiment pas? Violée...

— C'est... avec un homme?

— C'est ça!

Elle rit très fort. Quelqu'un lui parla en anglais et elle lui lança, soudain glacée, une phrase qui fit rentrer sous terre le malotru.

Des MG, des Triumph, des Ferrari pétaradaient dans toutes les rues, et cela amusa Pat.

— Vous connaissez Churchill, Henri?

— Oui, quand même!

— Il a dit... Attendez... Il a dit : « Le remplacement... »?

A chaque mot difficile, elle quêtait de l'œil une approbation.

— Oui? « Le remplacement du cheval par le moteur est une triste étape dans le progrès de l'humanité. »

— A qui le dites-vous! Et vous êtes de son avis?

— Sûrement. Regardez-moi, Henri. Je suis une marquise du XVIIIe siècle. Enlevez cette robe...

— Avec plaisir.

— Frenchie! Frenchie! Soyez gentleman! Enlevez cette robe, habillez-moi en marquise avec une perruque et des... des choses noires sur les joues?

— Des mouches.

— Why? Flies! Pourquoi, mouches?

— C'est le mot.

— Si vous voulez. Je suis terrible, non, en marquise? Belle?

— Pas plus belle qu'en ce moment.

— Why pas plus belle?

— Parce que ce n'est pas possible.

Elle répéta, rêveuse, avec son accent de Pétula Clark :

— Parce que ce n'est pas possible... Vous êtes adorable, Henri. Si. Si.

Il ironisa, mais ses yeux contredisaient cette ironie :

— Pat, je me ferais tuer pour vous.

A l'instant même, une main de dix kilos s'abattit sur son épaule et le repoussa vingt pas en arrière comme une épluchure. Pat plaisait aux hommes. Celui qui venait ainsi de balayer Plantin était un Noir immense, un Sénégalais paradoxalement soûl comme un Polonais, et qui roulait deux yeux blancs de gorille devant la blanche qu'il allait prendre dans ses bras et emporter au faîte du premier marronnier.

Henri, inconscient des périls, s'accrocha à la chemise du dragon, pour sauver sa princesse. La chemise se déchira. Le Noir se retourna. Son poing partit droit devant lui, comme un obus. Plantin n'eut qu'un dixième de seconde pour se baisser. Une bourrasque le décoiffa.

— Henri! cria Pat, prête à ramasser les morceaux de son chevalier servant pour les ranger dans son sac et les exhiber en Angleterre avec des larmes dans la voix.

Plantin s'était battu, jadis, dans des bals suspects du samedi soir. Il retrouva les réflexes des vieux tangos. Son pied fila, fit « crac! » sur le tibia de l'adversaire. La brute brailla « Ouille! Ouille! Ouille! » en sa langue natale, se baissa pour se frotter la jambe. Alors Plantin sauta en l'air et son genou remonta le menton du noir d'une bonne cinquantaine de centimètres.

En un cliquetis de dents éparpillées sur le trottoir, le Joe Louis des savanes s'aplatit avec un bruit mouillé de serpillière.

Henri prit la main de Pat :

— Et maintenant, filons, sans ça il va s'en ramener d'autres avec des coupe-coupe!

Il dut la tirer, l'entraîner, elle était blême, incapable d'un geste. Ils gagnèrent ainsi très vite la rue Bonaparte, la rue Jacob.

Elle ne pouvait plus courir, ils s'abritèrent sous un porche.

Pat haletait, une paume sur son cœur. Sa tête bascula, vint se loger au creux de l'épaule de Plantin qui, le nez dans ses cheveux, se sentit défaillir de tendresse :

— C'est fini, Pat, fini. Il ne faut plus avoir peur.

Elle bredouillait :

— It's for you... que j'ai eu la peur. For you, my, my... my friend... mon petit Français. Peur lui tuer vous...

Elle se blottit plus fort :

— ... Et c'est vous qui avez tué.

— Tué! Pensez-vous! Il a la tête dure! Tellement dure que c'est moi qui ai mal au genou!

— Il a perdu ses dents, vous avez vu?

— Elles repousseront.

Elle tremblait :

— C'est affreux, Henri, affreux.

Elle n'allait quand même pas le plaindre jusqu'à demain, l'autre abominable! Une voix cornait aux oreilles d'Henri : « Mais embrasse-la, nom de Dieu, embrasse-la, jamais tu ne retrouveras une occasion pareille! » Il le savait, mais se refusait avec héroïsme à profiter de la situation. Demain, Pat lui en voudrait et il tenait à ce demain encore plus qu'à ses lèvres. Il lui caressa, tout doucement, les cheveux.

— Calmez-vous, Pat. Calmez-vous. Je suis là.

A la réflexion, il était plutôt fier de son combat. Réduire un antagoniste auquel vous rendez quatre-vingts livres à l'état de punaise vous confère le droit de « rouler les mécaniques », comme l'eût dit Bitouillou.

— Calmez-vous, petite Pat jolie. Pat si jolie.

Oui, elle se calmait. Elle ôtait sa tête, hélas, de son épaule. Il devina que, protégée par la nuit du porche, elle lui souriait.

— Ça va mieux, Pat?

— Pat comment?

— Quoi, comment?

— Oui. Pat jolie. Répétez-moi.

— Petite Pat jolie, Pat si jolie jolie jolie... Vous n'êtes pas fâchée que je vous dise ça?

— Non. Pat jolie... Pat si jolie...

— On ne vous l'a jamais dit?

— Non.

— Ils ne vous disent jamais rien, alors vos Anglais?

— Si. Pretty Pat.

— Qu'est-ce que c'est?

— Jolie Pat.

— Oui, c'est pareil.

— Je préfère Pat jolie.

— Parce que c'est nouveau.

— Peut-être.

Il était bien. L'obscurité lui était confortable. Invisible, il était jeune, il était beau, il était grand. Dans le noir, il était quelqu'un.

Elle rentra à pas lents dans la clarté de la rue. Ses hauts talons sonnaient dans le silence. Il la rejoignit.

— Vous n'avez pas froid, Pat?

— Non.

Rue des Saints-Pères, quai Malaquais. En face le Louvre, crème, illuminé.

— Vous êtes raciste, Henri.

— Raciste?

— Vous avez fait du mal à ce Noir.

— Vous rigolez! Enfin... vous voulez rire. Si je ne l'avais pas assommé, il me massacrait. Il aurait été blanc, jaune ou vert que ça n'y changeait rien. Et vous? Qu'est-ce qu'il vous aurait fait, à vous? Un enfant, peut-être!

— Shocking! Non, Henri, vous êtes raciste, ce n'est pas bien. Il ne faut pas recommencer!

Il se demanda s'il s'agissait là d'humour, du lard, ou du cochon.

— J'ai soif, fit-elle.

Ils s'assirent à la terrasse d'un café.

— Je suis fatiguée. Je ne veux pas dîner. Je veux rentrer à mon hôtel.

Il fut déçu. Elle lui sourit avec gentillesse.

— Non, Henri, ne soyez pas triste. Il ne faut pas. La vie est terriblement belle. Nous dînerons demain, je vous le jure. Le soir, et, si vous aimez, le midi aussi.

— C'est vrai ?

Elle plissa les yeux :

— C'est un grand plaisir, pour vous ?

— Évidemment

— Why ?

— Why, c'est « pourquoi », hein ? Eh bien... eh bien... Je ne sais pas...

— Vous ne savez pas ?

— Non.

Le fantôme opalin du garçon interrompit à propos ce questionnaire embarrassant.

— Ça s'ra, ces m'sieurs-dames ?

— Je mange un sandwich, déclara Pat.

— Deux sandwiches, alors.

— Jambon-beurre ? grogna le garçon menaçant.

— Qu'est-ce que vous avez d'autre ?

— Rien. Jambon-beurre seulement.

— Bon. Ben, deux. Et deux ballons de beaujolais.

— Et deux ballons, deux, ânonna le garçon en tournant les talons.

— What is it, beaujolais ?

— Du vin.

— Du vin !

— Oui. Vous allez pas boire du thé à cette heure-là.

— Du vin ! Je vais être... drunk !

— Mais non, mais non, vous avez l'âge.

Elle rit :

— J'ai l'âge !

Elle rapprocha un peu sa chaise.

— Henri. Vous avez compris « what is it ». Et

« drunk », et « why », vous connaissez maintenant.

— Pretty, aussi.

— Que voulez vous savoir d'autre?

— Blonde.

— Fair. My fair lady, ma dame blonde.

— Vous êtes?

— You are.

— Pat, you are my fair lady, articula Henri avec application.

— Très bien! Very well! You are un petit Français merveilleux. Pour la boxe.

Il leva son verre. Elle l'imita, amusée.

— A vous, Pat!

— To you, Henri. With tenderness.

— What is it?

Elle secoua la tête pour ne pas répondre, et but. Une goutte de vin tomba sur la robe rouge, juste sur un sein, qu'elle étoila comme du sang. Il murmura, troublé :

— J'en pince pour toi.

— What is it?

Il secoua la tête ainsi qu'elle l'avait fait, et mordit dans son sandwich. Entre deux bouchées minutieuses — elle mangeait avec l'infinie délicatesse des chats — elle se dévoila encore un peu :

— A Londres, je travaille dans la couture. Je suis mannequin. C'est ça, mannequin?

Il approuva, ébloui.

— Il y a des photos de moi dans les journaux de mode. Je vous en enverrai.

Il accepta, de l'œil, car il lui revenait à l'esprit qu'on ne parle pas la bouche pleine. Elle ne protesta que lorsqu'il commanda deux autres ballons à l'ectoplasme. Mais quand elle eut revidé son verre, elle se caressa d'une main voluptueuse un bras nu, les yeux clos, les dents à peine desserrées pour gémir presque :

— I want to live, oh! to live, to live, vivre, vivre...

Impressionné, Plantin n'osait plus avaler sa salive. Une damnation passait sur le guéridon.

Pat habitait l'hôtel Molière, rue Molière, près du Palais-Royal. Ils traversèrent la place du Carrousel où débordait la lune. Pat un peu grise pesait au bras d'Henri et soupirait une chanson anglaise, une autre chanson qu'il n'avait jamais entendue, la chanson si belle où l'amour fait ses premiers pas sous la lune du Carrousel et sous l'arc de triomphe du Carrousel. Ils ne marchaient pas vite. Ils furent pourtant très vite, beaucoup trop vite devant la porte de l'hôtel.

Pat serra la main de Plantin, la garda dans la sienne pour affirmer :

— Henri, vous êtes un garçon terrible. Je vous félicite d'avoir tué le nègre. Si. Si. Vous avez sauvé ma vie. La France est contente de vous. Et l'Angleterre. Très. Et moi aussi. Venez ici à dix heures. C'est bien, dix heures, pour vous ?

— Neuf heures, si vous voulez.

— Je préfère dix. Je dormir. I'm tired, so tired.

Elle oubliait son français. Elle lui lâcha la main, ouvrit la porte, se retourna. Il la regardait comme personne ne l'avait regardée. Elle fit, émue :

— Come here. Henri. Come here.

Il s'approcha. Elle posa ses lèvres sur les siennes,

une seconde, et referma aussitôt la porte sur elle. Le battant claqua dans le crâne d'Henri. Plantin demeura là, stupide, cinq minutes sans bouger un doigt. Enfin il partit en courant dans les rues, sautant par-dessus les poubelles posées sur les trottoirs. Le cœur lui chavirait à trois mille tours minute et tout son sang allait à cent soixante chrono. Pat ma gosse ma blonde ma robe rouge mon Royaume-Uni ma Guiness ma Tamise ma what is it ma petite fille ma Grande-Bretagne my fair lady mon rugby mon football mon dancing mon pudding mon amour.

Il était seul dans la nuit de Paris, la ville et la vie étaient à lui dans le creux de sa main.

Il s'arrêta soudain et, les bras en V comme un président de la République, hurla le nom de Pat qui roula comme une pierre dans le silence.

Un flic ahuri s'extirpa de l'ombre.

— Hé, là-bas! Qu'est-ce qui vous prend?

Il s'approcha, méfiant, de Plantin figé dans sa pose victorieuse.

— Restez comme ça.

Il le palpa et, rassuré de le voir sans armes, grommela :

— Vous êtes pas fou de crier comme ça dans les rues?

— Je vais vous expliquer, monsieur l'agent, je suis amoureux.

— Amoureux?

— Amoureux, monsieur l'agent.

L'autre ondula du képi :

— C'est pas une raison.

— Ah! si, alors! Si vous le permettez, je vais recommencer à crier, sans ça je vais étouffer.

— C'est interdit.

— Mais puisque je vous dis que je suis amoureux!

— C'est pas prévu. Vous vous rendez pas compte! Si tous les amoureux se mettaient à gueuler comme ça, on ne s'entendrait plus. Montrez-moi vos papiers.

Plantin ricana en sortant son portefeuille :

— Vous faites erreur, monsieur l'agent. Il n'y a pas tant d'amoureux dans Paris. En fait, il n'y a que moi.

— Ah! pardon! protesta le gardien de la paix. Il y a moi! Je suis très amoureux de ma femme. Elle s'appelle Huguette.

Irrespectueux, Henri haussa les épaules :

— Vous croyez être amoureux d'Huguette. Mais ce n'est pas vrai.

— Comment, ce n'est pas vrai? Ça alors, vous en avez de bonnes!

— Vous êtes marié depuis quand?

— Attendez... Ça fera douze ans en novembre.

— Douze ans! Vous n'êtes pas sérieux, mon vieux. Où est-ce que vous l'avez connue, d'abord, Huguette?

— Au Bal des Petits Bâtons Blancs. On a dansé une valse viennoise ensemble.

— Parfait. Je vous parie cent francs contre un sou que vous n'êtes pas fou d'elle comme ce soir-là. Pensez un peu à la griserie de votre valse viennoise.

— Ah! bien sûr, c'est plus pareil...

— Eh bien moi, monsieur, ma valse, c'est ce soir.

— Oui... oui... oui... je vous comprends. Alors, criez, criez, mais pas trop fort quand même.

— Merci. Bonne nuit, monsieur l'agent.

Plantin s'éloigna. Le flic, mélancolique, demeura seul, malmené comme à Guignol par un brin de rêve exceptionnel. Le malheureux soupira : « Huguette... » puis, de toute la force de ses poumons de chevalier du guet, hurla à la lune :

— Huguette! Huguette! HUGUETTE!...

Henri, lui, s'était remis à courir. C'est à cette allure qu'il fendit les Halles, les cageots de fruits, de légumes, les camions et les diables. Quelqu'un cria même à tout hasard « Au voleur! » dans son dos. Les putes de la rue aux Ours, éberluées, le prirent pour une fusée.

Il se jeta quatre à quatre dans les escaliers, frappa à la porte de M. Poule.

L'imbécile ne tarda pas à ouvrir, le balai à la main.

— Qu'est-ce que c'est? glapit le minus. Vous m'avez réveillé!

— Monsieur Poule, ah! monsieur Poule! balbutia Plantin essoufflé.

— Quoi? monsieur Poule?

— Il faut que je vous dise...

— Quoi? Parlez!

— Vous êtes un con, monsieur Poule.

— Un?... Un?...

— Oui, monsieur Poule. Un sale con, un pauvre con, un emmerdeur et une vieille salope. C'est tout, monsieur Poule. Dormez bien, monsieur Poule.

Il claqua la porte au nez de l'idiot anéanti de stupeur et s'en alla heurter l'huis de Gogaîlle. Il tomba dans les bras du mendiant ahuri :

— Ah! Ulysse, Ulysse, j'avais peur que tu soies couché. Remarque, je t'aurais tiré du lit!

— Respire, tu n'en peux plus. Qu'est-ce qu'il t'arrive? Y a pas le feu, au moins? Dis-le, s'il y a le feu, ça vaudrait mieux.

Du doigt, Henri fit signe que non. Gogaîlle versa de la fine dans un verre, le tendit à Plantin qui avala l'alcool d'un trait.

— Ulysse, je suis un homme. Je viens de dire merde à M. Poule, comme ça, en passant.

— Bravo, Riquet. Faut en dire autant à la mère Pampine.

Plantin se rembrunit :

— Plus tard, celle-là, plus tard.

Il écarta ce nuage et s'étala dans son extase. Gogaîlle voyait luire une auréole inattendue au-dessus des cheveux de son ami.

— Quand même, Riquet, c'est pas le fait d'avoir dit merde à Poule qui te met dans cet état?

— Je suis heureux.

Gogaîlle sifflota, admiratif :

— Foutre, tu n'y vas pas par quatre chemins. Heureux! Rien que ça! On serait à demain soir que je dirais que t'as touché le tiercé.

Henri eut un geste insolent pour signifier que même le tiercé n'était que brouille auprès de la grâce qui venait de le frapper. Gogaîlle comprit alors, et sursauta :

— Tu ne vas pas me dire que tu es amoureux?

— Si! Si!

— Crie moins fort. Amoureux!

— Oui!

— Moins fort, je te dis. Ça alors...

— Je viens même d'assommer un nègre de deux mètres de haut. Il lui reste plus une dent, au mec, si tu veux tout savoir.

— Excuse-moi, Riquet, mais je vois pas le rapport.

— Y en a un. Je suis un homme! Ulysse! I want to live!

— Quoi?

— I want to live! Je veux vivre! C'est de l'anglais, comme what is it ou my fair lady.

Gogaîlle but à son tour une petite fine, tant la conversation s'annonçait difficile. Il avait avancé une chaise à son hôte, mais celui-ci tournait autour comme un coureur de Six-Jours.

— Quelle heure il est, Gogaîlle?

— Dix heures et demie.

— Pas plus?

— Non...

— Voilà trois heures et demie que je la connais. Je la revois dans... onze heures et demie. Jamais je ne pourrai ronfler. I want to live.

— C'est peut-être une Anglaise?

Plantin s'esclaffa, méprisant :

— Évidemment. Qui veux-tu que ce soit d'autre?

— Je ne sais pas, moi, une Italienne...

— De mieux en mieux. Une Italienne qui dirait : « I want to live. » Félicitations, Gogaîlle. Ou une Espagnole. Ou une Auvergnate, pendant que tu y es. Mais... je t'ennuie peut-être, Ulysse?

— Pas du tout. Au contraire. Mais laisse-moi le temps de m'habituer.

Plantin s'assit enfin et son visage disparut dans le creux de ses deux mains.

— Elle s'appelle Patricia Greaves, mais on dit : Pat. Vingt-sept ans. A la fin du mois, elle repart pour Londres. Si tu penses que je suis fou, tu as raison, Gogaîlle. Je n'ai que trois semaines pour être fou. Trois semaines. Après, je serai mort. Toute ma vie.

Cette soudaine détresse apitoya Gogaîlle. Mais déjà Plantin se relevait, joyeux :

— Ulysse! Quand elle m'a quitté, devant son hôtel, elle m'a embrassé!

— Sur la bouche?

— Oui. Oh! très vite, mais sur la bouche quand même. Tu crois que c'est bon signe?

Gogaîlle eut un sourire attendri :

— Plutôt.

— C'est ce que je me dis aussi.

— On peut savoir comment tu l'as rencontrée?

Plantin raconta son aventure avec animation, tout en vidant les verres de fine que lui servait Gogaîlle à intervalles réguliers. Il n'oublia rien, conclut sur une tristesse encore :

— Ulysse, dis-moi que je ne lui suis pas indifférent. Qu'elle ne m'a pas embrassé comme on jette vingt balles dans ta sébile au Châtelet.

Gogaîlle le reprit aux épaules :

— Tu connais pas les femmes, Riquet.

— Pas beaucoup. Enfin, je suis pas un spécialiste comme aux ablettes.

— Ça se voit. En voilà une, de femme, qui te permet de l'accompagner au Panthéon.

— Ça encore, ça pouvait lui être utile...

— Admettons. Au Panthéon, tu lui déclares que tu ne veux pas la quitter. Elle ne t'a pas chassé.

— Non.

— A Saint-Germain, tu te transformes pour ses beaux yeux en Fanfan la Tulipe. Les femmes adorent les Fanfan la Tulipe. De plus, tu te conduis auprès d'elle avec tous les égards et tous les respects, tout ce qu'elles réclament le premier jour. Pour le deuxième, il faudra quand même revoir un peu tout ton comportement.

— Je vais pas lui sauter dessus, tu sais.

— Elle ne t'en demande sûrement pas tant, mais tu peux chercher à l'embrasser, qu'elle sache au moins que tu as envie d'elle.

— Tu la prends pour une andouille? Si elle le voit pas!...

— Ça ne fait rien. Il faut le dire. Elles aiment à se l'entendre dire. Même les Anglaises.

— Pourquoi, même les Anglaises?

— Même les Esquimaudes, même les Éthiopiennes, si tu préfères.

— Je préfère, oui. Les Anglaises, c'est sacré.

— Je voulais dire qu'elles étaient des femmes comme toutes les femmes, c'est tout. Et si tu m'agaces, je t'apprendrai qu'il y a des Mère Pampine anglaises. On n'en a pas le monopole.

— Te fâche pas. D'après toi, j'ai une chance?

— Sans doute, fit Gogaïlle, impressionné par tant de candeur, sans doute.

Plantin regarda son ami :

— Tu es un pote, Ulysse, de ne pas me parler de Simone et des gosses.

— Ils n'ont rien à voir là-dedans, Riquet.

— Raison de plus pour qu'une pomme m'en parle, tiens! Tu n'es pas une pomme, Gogaîlle.

Il se campa devant l'armoire à glace :

— Je vais pas m'en sortir, je me dis. Elle doit se foutre de moi. Parce que, hein, les Anglaises, ça a le sens de l'humour. Je suis pas assez beau. Ça doit se voir, que je suis qu'un minable, ça doit sauter aux yeux comme un pavé dans la gueule d'un flic, ça ne peut pas ne pas se voir. Rends-toi compte que c'est un mannequin de mode. Elle va se marrer, quand je vais lui dire que je l'aime.

Gogaîlle bondit :

— Elle se marrera pas.

— Elle va se gêner.

— Elle se marrera pas, parce que tu lui diras surtout pas que tu l'aimes, comme tu dis.

— Faut bien!

— Faut rien, oui, rien! Pas un mot!

— Tu sais, ça aussi, ça se voit, comme le reste.

— D'accord, mais, comme le reste, tant que c'est pas dit, c'est pas dit! Fais confiance aux anciens, Riquet! Ferme-la, sans ça, ta Patricia, tu l'auras que dans un rêve. Elle abusera. Elle jouera avec toi. Faut pas ouvrir sa garde à ce point-là, sans ça, tu repères une pêche en pleine tronche. Et ça saigne! C'est sérieux, l'amour. C'est pas fait pour les rigolos. Faut pas se ramener là-dedans une fleur à la main, si on veut gagner.

96

Henri haussa les épaules, décontracté :

— Je m'en fous, de gagner. Je veux vivre trois se-maines. Me gâche pas mon plaisir. Elle a un teint de môme, elle est fraîche, elle...

— Bon. Tout ça, c'est un très vieux disque, je l'ai joué pour Clotilde, ma pauvre femme qu'est à Ba-gneux au frais, la veine qu'elle a par un mois d'août pareil. Mais c'est du vent! Ton idée, c'est quand même avant tout de la serrer de près et d'encore plus près. Si c'est pas toi qui l'as, cette idée, elle peut l'avoir pour toi.

— Tu crois, Ulysse, fit Plantin ébloui par cet es-poir fou, tu crois que ça peut arriver?

— C'est déjà arrivé quelquefois depuis que la terre tourne, et c'est sûrement pas fini. Si tu la boucles, ça *doit* arriver.

— Ah! merci, Gogaïlle, merci. Je dirai rien. Pas un mot.

— C'est toi qu'il faut remercier pour t'être trouvé là.

Ils burent une ultime fine, et Gogaïlle exposa son plan de bataille. Puisque Pat avait manifesté le désir de voir les toiles du peintre Plantin, il convenait d'avoir autre chose que le calendrier des P.T.T. à lui montrer. D'abord, créer un désordre artistique dans les pièces, et cacher ce qui pouvait rappeler l'existence des enfants.

— Pour les toiles, tu as du bol, je t'en trouverai.

— Pas des moches, hein?

— T'occupes! Je connais un gars qui a du talent.

— D'où que tu le connais?

— Un client. On cause souvent ensemble. On a

même pris l'apéro, un soir, après mon travail. Je le vois tous les deux, trois jours, je lui parlerai de toi.

— Comment tu sais qu'il a du talent? Il te l'a dit?

— Une fois, il avait une toile sous le bras, et qui m'a plu.

— Moi, ce qui me plairait bien, c'est des biches dans une clairière.

— Eh bien, c'est pas du tout ça. Je te dis qu'il a du talent.

— Bon... Tant mieux... Mais depuis quand tu es amateur d'art?

— Depuis cinquante ans que je vais au Louvre sans éprouver le besoin de le raconter à des types comme toi ou Bitouillou.

Plantin lui serra la main avec insistance :

— Gogaîlle, c'est bath d'avoir un ami. Tu peux pas savoir ce que ça m'a fait de pouvoir parler d'elle à quelqu'un. Grâce à toi, je vais peut-être pouvoir dormir trois ou quatre heures.

Plantin parti, Gogaîlle hocha la tête.

« Manquait plus que ça, grommela-t-il, manquait plus que ça. Il donnerait pas sa place pour un tiercé dans l'ordre. Mais moi, Gogaîlle Ulysse, j'aime mieux être à la mienne. »

Après avoir tapé aux murs d'un M. Poule caché sous son lit, Plantin traîna une chaise devant sa fenêtre ouverte et, les bras croisés, se mit à regarder la nuit.

Pat était allongée, nue sous un drap de l'hôtel Molière, ses cheveux autour d'elle commme de l'eau. La prendrait-il dans ses bras, présentement croisés, ces mêmes bras?

Pat jolie, si jolie, trop jolie pour un vendeur du rayon Pêche...

Plantin regardait la nuit.

La nuit où toutes les étoiles sont blondes.

Où tous les yeux sont gris.

CHAPITRE V

Henri s'était endormi tout habillé sur la chaise. Il sommeillait ainsi au grand jour et au grand soleil, quand l'éveilla le pigeon blanc en se posant sur la barre d'appui. Ce dimanche, le pigeon blanc roucoulait en anglais. Vite, Henri jeta un coup d'œil à sa montre. Huit heures. Le pigeon blanc penchait la tête pour le regarder sous le nez. Sans bouger, Plantin vit et ne reconnut pas sa chambre. Les décors ne sont là que pour suivre l'esprit dans ses courbes et ses ruptures. Plantin avait vécu là avec des inconnus, avec un Plantin même qui n'était pas le bon.

Il était empreint ce matin du trouble des enfants mystiques que l'on envoie à leur Première Communion. Il aperçut un pigeon blanc en plumes, en robe rouges. Il ferma les yeux. La bouche de Pat se posa sur son front, le picora de petits baisers frais et ronds comme des gouttes. En ce domaine, la réalité importe peu ; quand le rêve se matérialise fût-ce en rêve, il perd sa qualité de rêve, ressemble alors à tout le monde. La bouche de Pat se posa sur les lèvres d'Henri, qui retint son souffle pour ne pas l'effrayer. Le pigeon s'envola dans un fracas d'ailes. La bouche de Pat le suivit sur les toits.

Plantin quitta sa chaise, s'étira. Il aurait toujours l'air moins cloche que la veille. Il mettrait son pantalon gris des dimanches, son beau polo bordeaux. Il serait rasé de près. Mais il n'aurait pas vingt-cinq ans. Il les regretta un instant, eux qui n'avaient pas servi.

Plantin, comme tout franc bricoleur, avait installé une douche dans un recoin de la cuisine. Les fantômes redoutent l'eau froide. Au sortir de la douche, Henri n'était plus qu'un homme qui voulait une femme précise, et de chair, et de peau. Hastings (1066), conquête de l'Angleterre par Guillaume le Conquérant. Il lui manquait tout, l'expérience, l'assurance, le tour de main. Il l'avait dit, lui qui savait capturer et charmer les ablettes, ne savait pas approcher une femme. Autrefois oui, en dansant le tango sous la boule rouge. Mme Bitouillou, bien sûr, il aurait pu coucher avec. Mais Patricia Greaves n'était pas une fille à tangos, n'était pas une Mme Bitouillou à grande gueule et forte poitrine. Personne ne pouvait rien pour lui. Il était plus simple de se bagarrer avec les ablettes ou un Noir de deux mètres que d'aller tête nue affronter une ombre au sourire évasif.

« Alors, alors, fit-il en se rasant, tu ferais mieux de te coucher et de tout laisser tomber. »

Il grogna encore, quand sa lame lui laissait la parole :

« Parce que, mon frère, si on t'écoute... tu vas être joli à l'arrivée... Elle va se payer... ta tirelire, comme dit Gogaille... et t'auras plus que ton mouchoir, primo pour lui dire adieu, deuxièmement pour éponger tes larmes... »

Il se coupa et le sang coula, ce qui n'émut guère Plantin qui fixait Plantin dans les yeux en le menaçant du rasoir :

« Parce que, mon pote, faut pas jouer du tout les gros bras. Côté sentiment, tu tiens pas en l'air. Elle va te descendre en beauté. On te reconnaîtra plus qu'à tes lacets de godasse. »

Accablé, toutes illusions mortes, il s'assit pesamment sur son tabouret de cuisine. Le sang gouttait sur son menton.

« Faut pas y aller. J'irai pas. »

Face au danger, il fut héroïque, se déshabilla, se jeta sur le lit et se couvrit d'un drap pour n'y plus penser, n'y plus penser.

Il était dix heures et demie quand il entra dans le hall de l'hôtel Molière. Si elle était partie, il se tirait une balle dans la tête. Il n'avait pas de revolver mais, tel qu'au régiment l'adjudant, « il ne voulait pas le savoir ».

— Mlle Greaves ? Patricia Greaves. J'ai rendez-vous avec elle. Elle n'est pas sortie, au moins ?

— Crois pas... bougonna un portier qui n'avait certes pas inventé la porte... vais téléphoner...

Haletant, Plantin vit l'autre décrocher le combiné.

— Allô ? Miss Greaves ? Y a un monsieur pour vous en bas. Monsieur ?

— Henri Plantin.

— Henri Plantin... D'accord, miss.

Il raccrocha, plaqua un œil en forme d'huître pas fraîche sur Henri :

— Pouvez monter. Au deuxième. Chambre vingt-six.

Il passa comme une lueur obscène dans cet œil croupi.

Henri gravit lentement les deux étages, semblable au condamné à avoir la tête tranchée. Dans son beau pantalon gris des dimanches, ses jambes frémissaient. Il frappa au numéro vingt-six.

— Come in, cria Pat.

Il entra. La chambre était vide, le lit défait. Un remuement d'eau le fit se tourner vers la salle de bains. La voix de Pat, l'inimitable et merveilleuse voix de Pat vint le tamponner comme un cachet postal, indélébile et violent :

— I'm in the tub, Henri. Je suis dans mon bain. Attendez un moment.

Un moment. Il l'attendrait jusqu'à la barbe blanche si nécessaire.

— Prenez votre temps, Pat.

— Merci.

Elle cria encore :

« Wait! and don't see! *Attendez et ne voyez pas!* » et se mit à rire en battant l'eau de ses deux paumes. Plantin n'avait rien compris de cette réflexion, pour lui désagréable. Ce qu'il avait compris, par contre, l'était moins. A deux pas de lui, elle était nue, vêtue de bulles de savon, nue, ses longues longues jambes nues dans la baignoire, et nu tout son corps, tout ce corps qu'il ne verrait jamais, que jamais il ne plierait entre ses bras. Il en eut des sueurs incorrectes aux tempes et se recoiffa d'une main électrique. Un peignoir gisait les manches en croix sur la moquette. Un bas de soie flottait sur le dos d'un fauteuil. Un soutien-gorge désuet, de type britannique, et qui décevait par son absence d'imagination, avait été abandonné au hasard d'une commode. Un parfum de malaise à base de citronnelle allait et venait dans la pièce au gré des mouvements du rideau de la fenêtre.

— How are you, Henri ? Comment allez-vous ? Je traduis à vous. Il faut to learn, apprendre, l'anglais.

— Je vais bien, bredouilla Henri qu'angoissaient pêle-mêle la citronnelle, le soutien-gorge, les draps froissés et l'idée qu'il se faisait du contenu de cette baignoire invisible et si proche.

— Vous êtes en retard. — Joie divine, elle s'en était aperçue — Je crus... Je crois... vous pas venir. What a language ! pesta-t-elle en un éclaboussement.

— J'ai cru que vous ne viendriez pas, rectifia-t-il avec un pâle sourire.

— C'est très difficile pour moi, les verbes. Pourquoi vous êtes en retard ?

— Je ne suis pas en retard, vous êtes encore dans votre bain.

Elle prit un temps...

— Henri. Vous n'êtes pas comme hier. What an odd voice. Vous avez une drôle de voix.

— Oui. J'ai vieilli.

— Oh ! Pourquoi ?

— Why ?

— Yes, why ?

— D'être... d'être sans vous. Le temps m'a paru si long qu'il s'est bien passé cinquante ans.

— Je viens.

Il l'entendit sortir de la baignoire. Il entendit le bruit de la serviette sur la peau de Pat mouillée, mouillée par tes baisers, Henri Plantin, vendeur à la

Samar, rayon Pêche, magasin 3. Un bras nu se tendit vers Henri.

— Donnez-moi le robe de chambre, please.

Henri ramassa le peignoir et, avant de le remettre à cette main ouverte, se pencha, promena sa bouche sur le poignet, sur les doigts, un à un, pendant que Pat, de l'autre côté de la porte, poussait de petits cris gentiment indignés.

Enfin, décoiffée, fraîche du bain, entortillée dans le peignoir, des mules aux pieds, Pat entra dans la chambre.

Elle posa aussitôt un index impérieux sur les lèvres d'Henri, lui dit, rêveuse, en le regardant fixement dans les yeux :

— I was thinking of you as I woke to-day. You're lucky, you know. We're going to live a great adventure. It started yesterday just as my horoscope said. You'll be my souvenir of Paris. Promise to make it a lovely souvenir... please. I'm in your arms right this minute, but you needn't know that yet. You'll my Frenchman, every English girl should have a Frenchman in her life and any Frenchman worth his salt has been in love with an English girl. For you must be the one to love, you see. I can't anymore. *J'ai pensé à toi en me réveillant. Tu as de la chance. Nous allons vivre une belle aventure. Elle a commencé hier, c'était dans mon horoscope. Tu seras mon souvenir de Paris. Il faut que ce soit un très joli souvenir, tu me le promets. Je suis déjà entre tes bras, mais tu n'as pas besoin de le savoir si vite. Tu seras mon Français. Une Anglaise doit avoir connu un Français, un Français doit avoir aimé une Anglaise. Car*

il faut que tu m'aimes, toi. Moi, je ne peux plus.
Il tentait de comprendre cette musique obscure qu'elle chuchotait près de lui. Il savait que c'était important. Mais il n'en saisit pas deux notes. Il était sûr qu'elle ne traduirait pas, s'abstint d'ailleurs de lui demander. Elle le quitta, s'assit sur le lit, désemparée, et poursuivit, comme pour elle :

— No, I can't anymore. I'd give all of London and Paris too, to love you. You don't know the London docks. It's at Lady Dock that my heart was drowned in the Thames, little French man. Be tender with me, gentle, kind. I need to forget you see. I must. I'm 27 years old and I want to live. *Non, je ne peux plus. Je donnerais Londres et Paris pour t'aimer. Tu ne connais pas les docks de Londres. C'est à Lady Docks que mon cœur s'est noyé dans la Tamise, petit Français. Sois tendre avec moi, très gentil, très doux, car il faut que j'oublie. Il le faut. J'ai vingt-sept ans et je veux vivre.*

Il avait attrapé des mots sans suite, Paris, Londres, petit Français, et bien sûr, « je veux vivre ». Mal à l'aise, il murmura :

— Arrêtez, Pat. Arrêtez-vous. Vous n'êtes plus avec moi. Parlez français, maintenant. Ne soyez pas triste. Je suis si content d'être à côté de vous...

Elle eut pour lui un regard affectueux :

— You're right. It's not your fault. *Tu as raison. Ce n'est pas de ta faute.*

Elle se leva, et son visage revint au soleil de la chambre :

— Je ne suis pas triste. Je suis heureuse, très.

Excusez-moi, Henri. Allez dans la salle de bains, maintenant. Je m'habille.

Il obéissait déjà quand elle le rappela et lui tendit la main. Il hésita.

— Embrassez ma main, encore.

Il le fit, longuement. Quand elle fut aussi troublée que lui, elle se dégagea :

— Allez, Henri.

Il referma sur lui la porte de la salle de bains. Il eut l'impression d'être au fin fond d'un piège. C'était dans la chambre, à présent, qu'elle était nue. Il n'obtiendrait jamais la grâce d'être dans la pièce où elle était femme. Ce chassé-croisé lui serrait la gorge. C'était encore pire qu'à côté, ici, dans cette odeur moite de salle d'eau.

Des empreintes de pieds nus s'effaçaient lentement sur le carrelage, comme soufflées par une bouche.

Il enfouit son visage dans la serviette éponge qui gardait intacts pour lui tous les mystères, les senteurs et les griseries d'un corps inconnu.

— Henri !

Il rejeta au loin cette serviette trop lourde de secrets.

— Vous pouvez venir.

Elle était, cette fois, angélique en robe bleu céleste. Ce bleu se mariait — tel qu'à l'église — à l'or passé des cheveux. Pat lut dans les yeux d'Henri qu'elle n'avait jamais été plus belle, et que, grâce à ce petit Français, il le serait chaque jour davantage pendant trois semaines.

— Je vous plais ? fit-elle en tournant sur le socle de ses talons hauts.

« Qu'est-ce que j'ai fait au Bon Dieu, s'interrogeait Plantin, pour avoir été sur le chemin de cette fille ? Ça va se payer hors de prix, et c'est pas Simone qui me consolera. »

« Il ne faut pas, songeait-elle en mimant des poses pour *Vogue*, il ne faut pas que je lui fasse du mal. Il est trop gentil. Si je marche sur ce pauvre vieux chat, je le tue. »

Plus belle encore qu'en robe rouge, oui. Il la contemplait avec une sorte d'accablement.

— Henri ! Je vous plais ?
— Oui, Pat.
— Beaucoup ?
— Oui.
— Trop, peut-être ?
— Peut-être.

Elle n'aurait pas dû le questionner de la sorte. Montrer à un seul être un de ses sentiments est plus humiliant que de montrer aux foules un fond de pantalon déchiré. Pour le rattraper s'il en était encore temps, il prit le parti de rire. Faux.

— Mais il ne faut pas croire, Pat, que je suis amoureux de vous.

L'ombre de Gogaîlle sursauta : « Ne lui dis pas que tu l'aimes, imbécile, mais je ne t'ai jamais dit, andouille, de lui jurer le contraire. Est-il bête, cet animal, non, mais est-il bête ! » Il rougit à Gogaîlle. Les yeux gris de Pat eurent de l'amusement.

— Je ne crois rien, Henri. Rien.

Écarlate, Plantin bredouilla :

— Mais vous me plaisez, Pat ! Vous êtes encore plus jolie qu'en robe rouge, et pourtant vous ne savez pas combien vous êtes jolie, en robe rouge...

— Si. Vous m'avez dit, hier.

Ils vivaient là le plus capiteux de ce genre d'instants, et Pat était trop femme, jusqu'au bout des ongles qu'elle portait très longs, pour le précipiter, cet instant rare, dans la rapidité. Dans ces cas précis, où il convient de garder la minute présente dans son équilibre précaire, les hommes dansent toujours sur le plus mauvais de leurs pieds. Un projecteur cru les aveugle, leur fait heurter les murs, qui est le douloureux désir, et leurs ailes, s'ils en ont, grésillent, et leur bêtise les cuit et les recuit au court-bouillon. Apaisés, amers, ils regrettent le moment trouble où cet éclatant désir ignorait s'il aurait ou non sa simpliste satisfaction. Trop tard. Plus tard, il leur faudra tout reprendre à zéro, ailleurs, toujours ailleurs. Pat sut qu'Henri allait devenir de la sorte sans aucun intérêt, et le retint de s'élancer sur ces voies à trop grande vitesse fréquentées par n'importe qui.

— Sortons, Henri. Sortons, voulez-vous?

Comme il l'attendait sur le palier, elle lui dit sans se tourner vers lui, en fermant la porte à clef :

— We have plenty of time, little French. More time than you think. Three weeks is time enough for many things, to be disappointed and to make our future memories as soiled as a shirt collar at the end of the day. *Nous avons beaucoup de temps devant nous, petit Français. Beaucoup plus que tu ne le penses. Nous avons même en trois semaines celui d'être déçus et de salir nos souvenirs à venir comme un col de chemise.*

Elle lui sourit d'une façon telle alors qu'il ne put que sourire jusqu'aux yeux.

Ce dimanche, Paris était vide, oui, enfin. Tout entier jeté hors de Paris. Peut-être sur les bords d'une Marne de mazout, ou à Vincennes, ou à Boulogne, ou sur les autoroutes, n'importe où, mais il n'était plus là. Et l'on s'apercevait alors que cet arbre était beau, sans la forêt. Que l'avenue de l'Opéra, placide au soleil d'août, avait le charme de certain presbytère, avec ses quelques Américains taillés dans le Rolleiflex, ses quelques couples d'amoureux, ses quelques voitures intimidées et silencieuses. Que les arcades de la rue de Rivoli pouvaient avoir, quand on leur foutait la paix, comme un faux air de sous-bois. Que l'on pouvait vivre dans cette ville, mais que nul n'y vivait en temps ordinaire.

D'ici vingt ans, si les calculs étaient exacts, la région parisienne compterait de quinze à seize millions d'habitants, soit huit à neuf cents pèlerins à l'hectare, soit trente-cinq centimètres de trottoir par tête de pipe. Cette entreprise, sœur de l'expérience consistant à vouloir verser deux litres de vin dans une bouteille de soixante-quinze centilitres, était jugée sensée, souhaitable et digne d'un grand pays par tous les bons esprits issus des hautes écoles. Un ministre, porté sans doute sur la chose, réclamait une France de cent millions de citoyens. On les lui promettait pour l'an 2040 pile. Il fumait! Tout de suite, qu'il les voulait! Pour quoi faire? Ça!...

En attendant cette France aux yeux bridés, Pat et Henri savourèrent ce Paris jailli de ses ruines, et son visage qui, demain, reprendrait son office de punching-ball.

— Où allons-nous?

— Où vous voulez, Pat. Aux Invalides?

— Je ne veux pas voir un mort aujourd'hui. Emmenez-moi à Montmartre.

La vie de touriste n'est pas une vie. Le touriste toujours va où va le touriste, aux seules fins de pouvoir narrer chez lui à d'autres touristes des histoires de touristes. Le touriste n'a pas accès aux endroits tranquilles. Il n'en a pas le droit moral. Les endroits tranquilles n'intéressent personne. Pat ne pouvait décemment dire à Londres : « A Paris, j'ai vu un endroit tranquille. » Il lui fallait affirmer : « J'ai vu Napoléon, la tour Eiffel, et Saint-Germain-des-Prés, et Montmartre. » De gré ou de force, et partout au monde, il faut aller au pied des pyramides locales.

Plantin eut un soupir discret. Montmartre! A son âge! Enfin, même dans la cohue aussitôt retrouvée que perdue, il serait avec Pat. Quand seraient achevées les visites officielles, peut-être aurait-il le loisir de lui montrer les Halles avant qu'elles ne disparaissent comme venait d'être jeté à la poubelle le vieux Ménilmontant.

— Voulez-vous que nous prenions un taxi?

— Oh non! Je marche. — Elle ironisa : — Quand vous serez fatigué, Henri, vous direz.

Elle lui donna le bras par pure bonté d'âme, car ce bras d'homme lui tenait chaud. Plantin eut un éclair de pyschologie dû au fait, qu'à lui aussi, ce bras de femme...

— Non. Pat. Vous aurez trop chaud.

Il y gagna un sourire à vous enfoncer le cœur. Il lui fallait s'enlever de la tête la chambre et la salle de bains, se dire : « Ce n'est pas une femme, c'est autre chose ; c'est mieux que cela, c'est mon amour. » Et son plaisir d'être avec elle serait autre, et serait cent fois le plaisir. Quand le corps n'y est plus, ce n'est pas lui qui vous demeure mais un geste, une façon de tenir une cigarette du bout des doigts, un accent pour dire « il va pleuvoir », une moue, un regard aux étoiles, ou à un chien. On ne sait pas *quoi* demeurera ; si nous le savions, ces amours perdraient leur plus belle raison de naître. « C'est mon amour, songeait-il, mon amour. » Il réglait son pas sur le sien. Il avait pris de l'argent, ce matin. S'il n'en avait pas assez, il vendrait jusqu'à la montre en or de son père. Les morts se soucient peu de ce que devient leur montre, objet inutile s'il en fut pour le métier qu'ils font. Il emprunterait si besoin était quelques billets à Gogaïlle. Il se priverait d'être pauvre pendant ces trois semaines. Il en aurait toute la liberté après. Après. Il s'en voulut de penser à cet après. Elle était là, près de lui, vivante et grande, et blonde, et bleue, et citronnelle. Elle découvrait donc Paris, il découvrait quelque chose de plus vaste auprès d'elle : le monde. Il n'était pas volé. Quant à l'incertitude, il y trouvait son compte également car l'incertitude est la face cachée du bonheur. Être sûr de l'amour de l'autre, c'est déjà le perdre.

— A quoi pensez-vous, Henri ? Vous pensez beaucoup.

— Je me demande où nous allons manger.

— Les Français ne pensent qu'à manger. Quand ils ont mangé, ils ne pensent plus qu'aux femmes.

— Les Anglais ne pensent jamais aux femmes?

— Oui, ils pensent. De temps en temps. Mais ça ne se voit pas.

Elle lui donna la main à l'instant même qu'il la prenait. Cette communion leur fit échanger un regard, chez elle surpris, chez lui un peu stupide, un peu béat. Ils s'arrêtèrent. Leurs bouches étaient si proches l'une de l'autre que Pat détourna la tête en soufflant :

— What fools we are... *Nous sommes idiots...*

Il se força à marcher, les mâchoires crispées de courage. Elle dut le rejoindre, le remercier en lui serrant très fort la main.

— C'est l'Opéra?

— Oui.

— Vous connaissez dedans?

— Non.

C'était uniquement pour parler, ils le savaient. Elle ne parlait déjà plus et songeait, les yeux sur ses chaussures : « Patricia... Patricia... Qu'est-ce qui ne va pas? Tu n'es pas venue à Paris retomber dans ces bêtises. Tu as vingt-sept ans. Tu n'en as pas seize. »

Mais les femmes ressemblent aux mouches. Soucieuses, elles fuient soudain le souci sans que rien en leur attitude ait annoncé l'envol. Rue Auber, Pat souriait. Rue Caumartin, elle riait. A la Trinité, elle était tout un bonheur blond et bleu.

— Vous êtes bizarres, les Français, remarquat-elle devant le square. Vous avez de grands poètes, mais vous êtes des fonctionnaires. Il n'y a pas beaucoup d'herbe, dans Paris, et vous êtes interdits de marcher sur la pelouse. A Londres, on marche dessus, on se couche dessus. Ce n'est pas de l'herbe pour les yeux.

— Je m'en fous, fit Plantin suave.

— Qu'est-ce que c'est?

Il s'expliqua par un geste désinvolte de la main par-dessus l'épaule.

— Je m'en fous, répéta Pat, ravie, je m'en fous... Elle nota l'expression sur un carnet.

— Pourquoi vous...

— Pourquoi je m'en fous? Parce que tu me bottes et que tu as les plus beaux carreaux de la terre.

Elle comprenait mal le tutoiement, encore plus mal l'argot.

— What you say! What you say! criait-elle en trépignant et en pinçant les bras d'Henri.

— What is it « carreaux »?

Du doigt, Plantin désigna les yeux de Pat.

— Eyes! *Les yeux!* Why « carreaux »?

Il dut lui exposer ce rapport évident entre le regard et les vitres. Enchantée, elle nota encore.

Ils déjeunèrent à une terrasse de Pigalle. Henri connut là bien des tourments pour manier sa fourchette et son couteau avec élégance. Il n'avait jamais mangé dans un restaurant de ce prix. Il lui parut que le garçon l'avait estimé pauvre du premier coup d'œil. Les garçons et les flics lisent couramment le pauvre, fût-il logé pour un soir dans un smoking.

Au dessert, quand il vit Pat manger une pêche avec le seul secours de son couvert, sans y porter la main, il préféra se passer de dessert.

Elle était rose bonbon, et à croquer, elle avait bu trois verres de vin. Lui, le reste de la bouteille pour se donner du courage, car il en fallait du courage, pour ne pas mordre ou embrasser les mains, les bras, le cou de Pat, pour ne pas étreindre Pat comme un furieux, pour ne pas dire à Patricia Greaves « Je vous aime » ou « I love you », ces trois mots étant l'essentiel du vocabulaire franco-anglais populaire, avec les ping-pong et basket-ball déjà cités. Oui, vraiment, du courage, et du meilleur, hérité de Verdun. Du courage toujours pour ne pas sourciller devant l'addition de ce restaurant touristique où l'on vous fait payer cher la proximité d'un jet d'eau essoufflé et de quelques fesses lugubres.

Le garçon était gluant, s'exprimait posément de la chaussette. Les sourcils noirs du gros patron gras lui pendaient dans les yeux. Un chien battu reniflait l'air où voguaient des bouffées de saucisses. Quelques curés d'Uruffe et des environs allaient au Sacré-Cœur. Un con sinistre terrorisait ses deux gosses : il avait fait des sacrifices pour eux. Le monde était sale, l'été sale, et le soleil pourri.

Mais il y avait Pat mon amour ma chérie darling ma danse dancing my love lovée dans la lumière mon orange mon coquelicot d'hier ma pervenche d'aujourd'hui ma fourrure mon bonnet de miel ma libellule d'Angleterre Pat mon amour ma limpide Albion tout mon azur toute ma fumée tes yeux de cendre ta bouche de garance ta peau de bas de soie il y a la mer entre nous la mer du Nord froide et grise mon amour.

Le Sacré-Cœur, là-haut, blême comme un navet, plus faux qu'un jeton ou qu'un décor d'Opéra, d'une laideur qui en fait l'objet d'art favori des pantoufles, le Sacré-Cœur, à grincer des dents et des portes.

« Le Sacré-Cœur! » s'ébahit Pat face à ce pieux crachat posé sur le visage des fusillés de 71 en « expiation de leurs péchés » de misère, de faim et de fureur.

Les gosses-qui-ne-partent-jamais-en-vacances jouaient au bord de l'herbe défendue, avant de regagner le soir leur H.L.M. de carton-pâte, flambant neuf et taudis dans dix ans.

Mon amour, ne t'extasie pas devant le Sacré-Cœur soi-disant de Jésus, Jésus n'a jamais mis les pieds là-dedans. *Viens par ici, loin d'eux.* Ils sont partout. Il n'y a plus de moyen d'être seuls. Ils ont tellement peur d'être seuls qu'ils s'amassent, qu'ils forment des tas, des troupeaux, et que leur vie n'est plus, au ralenti, qu'une transhumance désespérée. Mon amour, que le ciel est donc vide, et quand donc, quand donc nous tombera-t-il sur la tête? Pat. Ma Patricia. Mon bel espace de terre entouré d'eau de tous côtés. Mon île heureuse.

— Pat, si j'étais cow-boy, je vous prendrais dans mes bras, et je grimperais tous ces escaliers et une éclatante musique retentirait pour nous jusqu'au mot FIN, dans le bruit de banquettes que font les spectateurs qui foutent le camp!

— Vous êtes un cow-boy, fit Pat, qui n'avait

compris que les premiers mots de cette belle phrase préparée pendant cinq minutes, un petit cow-boy français.

Ce fut elle qui posa ses lèvres, vite, vite, sur sa main en un élan absurde. Plantin en fut tout étonné, regarda autour de lui. Une grosse dame pouffait, là-bas, en couvant un pliant au supplice. Était-ce d'eux qu'elle riait? « Les Anglaises sont folles » se dit-il. Plantin n'était pas encore ce héros romantique qu'il deviendrait plus tard. Il lui restait du chemin à couvrir.

Août avait vidé quelques villes étrangères, quelques bourgs de province, pour les répandre là, sur le parvis et les tourner, l'œil circulaire et panoramique, la bouche ouverte vers un infini de toits gris.

« Paris, c'est Paris tout entier, contemple, Bernard, contemple, c'est Notre-Dame et ça tu pourras le dire à ton beau-frère que tu l'as vue comme tu le vois, c'est la Gare de Lyon. »

Deux autocars déversèrent leur cargaison de Hollandais et d'Allemands. Jumelles. Photos. Pat étendait son bras nu vers les horizons:

— What is it, Henri, là-bas?

— La Gare de Lyon.

— Et là?

— La Gare de Lyon.

— Vous êtes méchant, Henri, je ne vous aime plus.

— C'est la Madeleine.

— C'est vrai?

— Promis.

A côté d'eux, un ex-S.S. soupirait sur ce paradis

perdu à cause d'une guerre idem. Trois cousines néerlandaises ne regrettaient pas le déplacement. On les récupérerait l'an prochain à Venise, dans une gondole pleine à couler.

— Henri, montrez-moi où vous habitez.

Il lui désigna Saint-Eustache :

— A cinq cents mètres à gauche de cette église.

— Et moi ?

Il lui indiqua le derrière vert-de-gris de l'Opéra.

« Écoute ton père, Bernard, Paris est le berceau des arts, j'ai deux amours mon pays et Paris, mais au monde y a qu'un seul Pigalle, la Ville Lumière, Paris mais c'est la tour Eiffel, et si tu n'en veux pas je le remets dans ma culotte, capitale de la France, j'ai beau être gâteux on n'en est pas moins homme, je sais ce que je dis, siège du gouvernement et de toutes les grandes administrations centrales, parfaitement, regarde au lieu de te gratter le nez, qu'on soye pas venus de Dijon pour rien. »

Des religieuses aux yeux d'enfant, éblouies par l'ardente clarté du zinc et des vitres, demeuraient là, plantées comme des cierges. Des familles souriaient pour l'album de famille.

— Aux communions, c'est là que c'est le plus beau, le Sacré-Cœur. On se sent tout chose.

— Ceux qui croient à rien, c'est des bêtes.

— Souris, Jojo ! Souris, ou tu prends une gifle !

— Dudule a bougé, ça va être flou.

— J'ai mal aux pieds.

— Ah ! toi et tes tatanes !

— Tu me parlais pas comme ça y a deux ans.

— Laisse-moi les pendre cinq minutes, tu veux ?

— Sainte Geneviève, née à Nanterre, morte à Paris, etc.

— Louis XIV enrichit la ville de nombreux monuments qui devinrent, avec le temps, des monuments historiques.

— Tu m'aimes plus.

— *Notre lit c'est la verdure...*

— Ah! la tasse, avec ton amour!

— *Tes yeux sont comme les étangs de Hesbon, près de la porte de Bath-Rabbim...*

— Autrefois, Lutèce.

— Vanille. Framboise. Café.

— *Car je suis malade d'amour...*

Paris vibrait, non pas sous le soleil, mais sous les conneries qu'il entendait à bout portant. La grosse Bertha n'était qu'un lance-pierres auprès de ce bombardement grandiose.

Pat, émerveillée, n'était plus soudain que la déesse blonde du Tourisme. Résigné, Plantin attendait qu'elle titubât d'admiration. Il était injuste, impatient. Il lui fallait encore subir la Place du Tertre. Le gros morceau. Le Lourdes de la peinture. Et ne pas oublier, surtout, qu'il était peintre!

Ils s'y rendirent en masse, Pat, les Scandinaves, les Bas-Bretons, Henri, les Prussiens, les autocars, les marchands de glaces, et les cousins de Lyon qu'on promenait comme des toutous même que le soir faudrait aller aux Folies-Bergère. Guenilleux et barbus, les artistes vendaient de la barbouille au mètre carré. Sur l'Utrillo mort pullulait l'horrible rapin à lavallière. Il avait suffi d'un Utrillo et d'un bateau-lavoir pour donner le jour à des millions de croûtes. On venait voir les artistes. Ils ne décevaient pas. Cheveux longs, pantalons de velours. On les dévisageait avec respect. Du Sacré-Cœur plein les toiles, rouge, blanc, gris, or, caca, pipi, pour salles à manger, chambres à coucher, pour tous les goûts, tous les dégoûts et tous les prix. Pour ceux qui n'aimaient pas la basilique à Galliffet — ou en avaient déjà sur le cosy-corner —, la rue des Saules! Le Moulin de la Galette! L'artiste par lui-même! La femme — à poil — de l'artiste! Le paillasson de l'artiste, vu du plafond, c'est de l'« abstrait ». Les tables des « bistrots montmartois », mêlées aux chevalets, aux parasols, étaient prises à l'abordage par les touristes avides d' « ambiance montmartroise » et fumant de l'orteil. Dans cette foire maudite, Henri ne lâchait pas la main de Pat. Il allait la perdre. La foule allait la lui voler. Pat, à la vue de ces artistes évoquant l'objet ménager connu sous le nom de tête de loup, le soupçonnerait, catastrophe, de ne pas être peintre.

Dans les parages immédiats de la place, les galeries de peinture, les bazars, se serraient les murs, bourrés de toiles, de gravures, de fusains, de sépias, d'aquarelles, de pellicules, de Sacré-Cœur en bois, en tôle et en plastique, de souvenirs de Montmartre en long, en large, en noir et en couleur.

Pat leva les yeux sur Henri :

— Ce n'est pas de la peinture. Vous ne peinturez pas comme ici, Henri?

Il se fit grave et pénétré de sa mission :

— Certainement pas. Un vrai peintre ne fait

pas le clown en public. On peut avoir du talent ailleurs qu'à Montmartre.

Pourvu que le peintre promis par Gogaille ne fasse pas partie de la troupe, pourvu!

Ils parvinrent à s'extirper de cette glu en robes à fleurs, colliers de barbe, demis de bière, chemises à carreaux. Henri était assourdi de cris, de « Oh! que c'est joli » répétés et traduits en vingt langues étrangères.

Ils descendirent la rue du Mont-Cenis, s'éloignèrent de la mêlée, s'installèrent enfin à la terrasse d'un café tranquille. Elle commanda un tea for two.

— Du thé? grimaça Plantin.

— Je bois du vin avec vous. Vous pouvez boire du thé avec moi.

Il s'inclina sous un sourire.

Elle sortit de son sac les cartes postales qu'elle avait achetées là-haut et se mit à écrire hâtivement après s'être excusée. Jaloux, il lut à la dérobée les noms de ces destinataires inconnus. Nelly Hawkins, bon. M. et Mrs Michael Simpson, bon. Mais qui étaient ces Ronald Moore, ces Colin Payne? Qui? Des salauds qui couchaient avec elle, sans doute. Un tire-bouchon lui entrait dans le cœur, et l'arrachait. Il ne savait rien d'elle ni de sa vie. Quelles limaces rampaient en son passé? Combien d'haleines avaient soufflé sur cette nuque penchée sur ces vues de Montmartre?

Le thé infusé, elle le servit.

— Vous mettrez du citron?

— Je ne sais pas.

— Vous ne savez pas?

— Je ne bois pas souvent de thé...

Il en avait peut-être bu une tasse voilà dix ans, mais il n'en était pas très sûr.

— On trinque pas! déclara-t-il en trempant dans sa tasse une lèvre apeurée.

A la réflexion, ce serait meilleur avec du citron. Ç'aurait au moins le goût de citron. Elle avait bu, hop, cul sec — fallait avoir de la santé — en écrivant à un troisième abominable, John Spinouk, et s'en reversait une giclée avec entrain.

— Qui c'est, ce Spinouk? grogna-t-il d'une voix qu'il voulait neutre.

Elle sourit sans cesser d'écrire :

— Un ami.

— Et Colin Payne?

— Un ami.

— Ronald Moore aussi?

— Aussi.

Elle le regarda, malicieuse, ajouta :

— Why?

— Pour rien, pour rien.

Elle lui caressa gentiment la joue, enfouit les cartes dans son sac :

— Comment aimez-vous le thé?

— Je préfère le beaujolais.

— Vous buvez du beaujolais, le matin?

— Du café.

— Votre femme aussi?

— Ne me parlez pas de ma femme.

— Votre femme, elle est jolie? Plus que moi? Les Françaises sont jolies.

— Pat...

— Ne me parlez pas de mes amis.

Il avala son thé. La petite leçon avec.

Pat décida de se rendre à l'Arc de Triomphe qui manquait encore à son palmarès. Ils ne trouvèrent un taxi qu'à la mairie du 18e. Comme ils passaient rue Caulaincourt au-dessus du cimetière du Nord (dit de Montmartre), Pat s'étonna :

— Les morts ne sont pas tranquilles, dans Paris.

— Personne n'est tranquille, dans Paris.

— Où serez-vous dans la terre, my dear?

La question était révoltante. Le chauffeur devait se marrer, devant. Comme elle insistait...

— Je m'en fous, Pat.

— Ah? Il ne faut pas s'en fout.

— S'en foutre!

— Bien. Il ne faut pas s'en foutre. Je connais un... cemetery très joli, vers les docks. Il y a un pub, un bistrot, tout près. C'est là que je serai dans la terre. Vous viendrez me voir, Henri?

— Pat!... Parlons d'autre chose.

— Why? C'est amusant.

Elle lui tapota, familière, un genou. Comment lui dire que, demain lundi, si elle voulait le voir, il ne serait libre que le soir? Par-dessus l'habit de lumière de son amour tout neuf, il enfilerait dès le matin une blouse grise de vendeur. Il en ferma les yeux de dégoût. Il se suiciderait en avalant tous les hameçons de la Samar.

Comme, après avoir salué l'Inconnu — qui en avait vu d'autres — ils baguenaudaient sur les Champs-Élysées qu'empourprait un couchant si typiquement touristique qu'il en semblait fourni par le Comité des Fêtes de la ville de Paris, comme ils allaient main dans la main, un escogriffe vêtu de tweed, coiffé d'une casquette sport, se précipita sur eux par-derrière, plaqua joyeusement ses paumes sur les yeux de Pat en braillant :

— Peek-a-boo Pat! Guess who? *Coucou Pat! Devinez qui est là ?*

Le grand diable hilare ne prêtait aucune attention à un Plantin estomaqué. Comment d'ailleurs intervenir, puisque Pat souriait?

— Speak again. Two more words and I'll have it. *Parlez encore. Deux mots, et je devine.*

— I didn't know you were in Paris, Pat sweety. *Je ne savais pas que vous étiez à Paris, ma petite Pat.*

— Why it's Peter! *C'est Peter!*

— It is indeed! *Oui!* fit, enthousiaste, le nommé Peter en libérant la jeune femme.

Les Anglais s'embrassèrent en vieux camarades. En lui-même, Henri déjà maudissait cette fâcheuse rencontre.

— Peter, let me introduce you to Henri, a French painter. He can't speak a word of English. *Peter, je vous présente Henri, un peintre français. Il ne sait pas un mot d'anglais.*

— And me not a word of French! *Et moi pas un de français!*

— Henri, voilà Peter Bike, un ami de Londres. Un ami. Soyez gentil, je vous prie.

Les deux hommes se serrèrent la main, Peter plus chaleureux qu'un Plantin déjà très malheureux. La promenade reprit, Pat encadrée par ses chevaliers servants.

— What are you doing here, Pat? *Mais que faites-vous ici, Pat?*

— Wandering. And you? *Je me promène. Et vous?*

— I've come from Rome. Same old film. The minute everything's settled with the French producter, I'm off to Norway for a holiday. In ten days I hope. *Je viens de Rome. Toujours ce film. Dès que j'ai réglé tout ça avec le producteur français, je prends mes vacances, en Norvège. Dans dix jours, j'espère.*

— Peter écrit des histoires pour le cinéma. C'est lui qui a écrit *A stormy evening*, vous connaissez?

— Non, grogna Henri.

Peter prit Pat par le cou, négligemment. Elle rougit et se dégagea aussitôt.

— Let me go, Peter. *Lâchez-moi, Peter.*

— Why? Is this French character in love with you? *Pourquoi? Le Français est amoureux de vous?*

— I think so. *Je crois.*

— And you? *Et vous?*

— I like him. Very much. *Il m'est très sympathique.*

— I'm sorry. *Pardon.*

— I don't want to hurt him. *Et je ne veux pas lui faire de peine.*

— Send him away and come and have dinner with me. *Renvoyez-le. Je vous invite à dîner.*

— I most certainly shan't send him away. *Je ne le renverrai pas.*

— All right, all right. Never mind. Both of you come and have dinner with me, that's fair enough isn't it? *Bien, bien. Ça ne fait rien. Je vous invite tous les deux, en ce cas. Je suis beau joueur.*

— I don't want him to know there's been anything between us. Or that I'm a barmaid in Piccadilly either. *Je ne veux pas qu'il sache qu'il y a eu quelque chose entre nous. Je ne veux pas non plus qu'il sache que je suis serveuse dans un bar de Piccadilly.*

— Why Pat! What a cad you must think me anyway, how on earth do you think I could tell him all that. *D'accord, Pat, d'accord. Je ne suis pas un mufle. D'ailleurs, je me demande comment je pourrais lui dire tout ça.*

— I'm sure you could if you tried. Give me your word, Peter. *En cherchant bien, vous trouveriez. Donnez-moi votre parole, Peter.*

— You have it, my honey. All is revealed to me Pat. You are in love with him. *Je vous la donne. Vous êtes un petit peu amoureuse de lui. Je le sais maintenant.*

— You're better informed than me, Peter. I'm still wondering. *Vous êtes plus fort que moi, Peter. Moi, je n'en sais rien.*

Plantin baissait la tête, morose et tout charme rompu, indifférent à ces phrases inintelligibles qui lui passaient sur la tête.

— Je vais vous laisser, Pat, je ne voudrais pas être indiscret, soupira-t-il.

Et ce fut au tour de Peter de se désintéresser d'une conversation qu'il ne pouvait saisir.

— Henri, je vous demande de rester. Nous allons manger ensemble, tous les trois. Restez.

— C'est bien nécessaire?

— Je vous le demande.

— Je ne peux rien vous refuser, vous le savez bien.

— Merci, Henri...

La douceur de la voix de Pat amena un sourire aux lèvres de Peter. Plantin combattit l'envie qu'il avait de les quitter. Son amour-propre certes eût été satisfait, mais l'autre amour, lui? De plus, elle entendait qu'il reste. Il resterait donc en déplorant que le monde fût aussi petit, en maudissant ce gaillard beau et sportif et paré des plumes du cinéaste. Il lui parut qu'il avait, lui, Plantin modeste, Plantin falot, encore perdu dix centimètres.

Ils dînèrent au Fouquet's. Peter Bike vouait aux furies son producteur français, le seul à ne pas être, en août, à Saint-Tropez.

— You wouldn't have met me otherwise, remarqua Pat. *Vous ne m'auriez pas rencontrée, autrement.*

— That's true. I'm no gentleman. *C'est vrai. Je ne suis pas un gentleman.*

Plus mal à l'aise dans ce cadre qu'il estimait d'un luxe de mille et une nuits qu'un chat dans un baquet plein d'eau, Henri se concentrait sur son assiette et sur les façons, de lui inconnues, de la vider avec grâce. Il ne prêtait plus même une oreille au dialogue des Britanniques.

— You're very beautiful, Pat. I'd very much like to spend the night with you. We could put the clock back five years. *Vous êtes très belle, Pat. Je passerais volontiers la nuit avec vous. Cela nous rajeunirait de cinq ans.*

Elle l'enveloppa d'un œil froid :

— But Paris is full of French girls, Peter. If I were a man I wouldn't hesitate for a minute. *A Paris,*

Peter, *il y a des Françaises. Si j'étais un homme je n'hésiterais pas.*

— May be I have artistic tastes too. *J'ai peut-être des goûts de peintre,* gloussa-t-il... avant d'ajouter méchamment :

— I don't think much of your boy friend. You're getting less and less hard to please. *Il n'est pas très brillant, votre flirt. Vous devenez de moins en moins difficile, Pat.*

— That's right, Peter, so I haven't the slightest desire to go to bed with you. *Si, Peter. Ainsi, je n'ai plus aucune envie de vous avoir dans mon lit.*

Il rit très fort :

— Let's not fight, barmaid of my heart. What have you told this wretched painter ? *Ne nous disputons pas, barmaid de mon cœur. Et que lui avez-vous raconté à ce malheureux peintre ?*

— That I'm a model. That I do fashion pictures for *Woman and beauty. Que j'étais mannequin. Que je posais pour* Femme et Beauté.

— That's funny. Very funny indeed. *Drôle. Très drôle !*

Comme il l'avait trop attristée, il se fit l'âme meilleure :

— Well, I wish you happiness, Pat. Lots of it. Sincerely. I'll leave when we get to the dessert. I'm at the *George V* if you ever want to see me. As a friend, naturally. I'm still very fond of you. *Je vous souhaite du bonheur, Pat. Beaucoup. Sincèrement. Je vous quitte au dessert. Je suis à l'hôtel* George V, *si jamais vous avez envie de me voir. En camarades, Pat, je vous le promets. Car je vous aime bien.*

— Thank you. I'm at the *Molière* in the rue Molière. *Merci. Moi, je suis au* Molière, *rue Molière.*

Préoccupée, elle adressait pourtant quelques mots de français à Plantin qui, d'un regard, lui savait gré de ses efforts. Poliment, Peter s'intéressa à ce Français un peu trop effacé.

— In Norway, I'm going to fish for trout and salmon. Ask him if he's interested in fishing. *Pat, en Norvège, je vais pêcher la truite et le saumon. Demandez-lui s'il est pêcheur.*

— Henri, Peter demande si vous êtes pêcheur?

— Ah non! s'écria Plantin avec une sainte horreur qui les fit s'esclaffer tant elle était démesurée.

— Peter va en Norvège pêcher la truite.

— Il peut partir tout de suite, bougonna Henri.

Attendrie, elle lui effleura la main. Ce geste n'avait pas échappé à Peter qui prononça d'un ton absent :

— Before I left London, I came across William. *Avant de quitter Londres, je suis tombé par hasard sur William.*

Malgré tout, Henri comprit cette fois qu'il se passait quelque chose d'anormal. Pat était devenue tout à coup très pâle. Il s'émut :

— Qu'est-ce qu'il y a, Pat?

— Rien, rien. Laissez-moi.

— We spoke of you. *Nous avons parlé de vous.* Elle frissonna :

— You mean William spoke of me? *Voulez-vous dire que William vous a parlé de moi?*

— No. I spoke to William about you... *Non. J'ai parlé de vous à William, c'est différent.*

— I see... *Je vois...*

William, William, Henri saisissait au vol ce prénom qui était un prénom d'homme. Elle murmura, si bas que Peter dut s'incliner vers elle :

— He doesn't want to see me, does he? *Il ne veut pas me rencontrer, n'est-ce pas ?*

Peter ne répondit pas.

— I could have explained though... He would have come back. It's William I love. Every one in the world knows it, except him. *Je lui aurais tout expliqué... Il serait revenu. C'est William que j'aime. Personne d'autre. Tout le monde le sait sauf lui.*

A présent bien embarrassé de ce chagrin qu'il avait provoqué avec un certain plaisir, Peter consultait le menu avec ostentation. Pat roulait une mie de pain entre ses doigts, le regard vague :

— Well, I'll forget him. In a way that's why I came to Paris, Peter. To forget. *Je l'oublierai. C'est un peu pour cela que je suis à Paris, Peter. Pour l'oublier.*

— You're much too sentimental. *Vous êtes trop sentimentale, aussi.*

— Me? I'm as hard as this glass. *Moi ? Je suis dure comme ce verre.*

— It's hard, glass, but it breaks all the same. *Le verre est dur, mais il se brise.*

— I'm going home, Peter. *Je vais rentrer, Peter.*

— Frenchie's taking you I suppose? *Le Français vous raccompagne, je suppose ?*

— Yes.

— He's looking at me like a dog ready to defend his master. Why he'd bite me if he could, that idiot. *Il me regarde comme un chien prêt à défendre son maître. Il va me mordre, cet imbécile.*

— He's worth the lot of you put together. I'm not a barmaid to him, to be hurt and made fun of. He's a great painter, you know? *Il vaut mieux que vous tous. Pour lui, au moins, je ne suis pas une serveuse qu'on peut faire souffrir pour s'amuser. C'est un grand peintre, vous savez ?*

— He doesn't look very rich. *Il n'a pas l'air très riche.*

— Great painters are only rich after their death. *Les grands peintres ne sont riches qu'après leur mort.*

— He'd do better to kick the bucket then. *Il ferait bien de mourir, alors.*

Ils burent encore en silence du thé. Plantin navré les imita. Ils se séparèrent sur le trottoir.

— I'm off to find me a French girl, Pat. I'll think of you while we're in bed. *Je vais chercher une Française, Pat. Je coucherai avec à votre santé.*

— Good bye Peter. See you soon perhaps. *Adieu, Peter. A bientôt peut-être.*

— Sure thing. Good bye, *monsieur. Certainement. Au revoir, monsieur.*

— Salut, grogna Plantin en lui offrant une main molle.

Pat et Henri s'éloignèrent. Il lui tenait le bras très doucement. Il la sentait blessée, égarée, désarmée. Il souffla :

— Pat... Qui est ce William ? Vous l'aimez ? Vous l'aimez toujours ?

Il était fraternel, paternel, sacrifié, admirable. Elle lui fit un pauvre sourire :

— Non, Henri.

Mais une étoile de larmes brillait en ses yeux gris.

Il l'entraîna hors des lumières des Champs-Élysées. Ils marchaient à pas lents, comme des malades, la joue de Pat sur l'épaule d'Henri.

— Pleurez, Patricia, cela vous fera du bien, j'en suis sûr. Pleurez. Moi aussi, je... je... suis un peu votre ami.

— Oui, Henri.

Et elle pleura sans un bruit, comme on saigne. Et ces pleurs d'ombre le bouleversèrent et lui fichèrent l'amour au ventre plus profondément et plus loin qu'un coup de sabre.

— Pleure, ma Pat jolie, mon chéri, pleure.

Il la serrait contre lui, légère et lourde, tiède et glacée. Cela dura longtemps. Puis ils s'assirent sur un banc, tout près de la Concorde. Elle renifla, elle se moucha, elle se repoudra le nez.

— Je suis laide, Henri, j'en suis soûre.

— Tu n'as jamais été plus jolie.

— Vous moquez de moi?

— Tu es la plus jolie des filles.

— Je ne suis pas jolie comme les Françaises.

— La plus jolie des filles du monde entier.

Elle s'éclaira peu à peu, gronda entre ses dents :

— I want to live. I want...

Devant l'hôtel Molière, il soupira :

— Je vous revois, Pat?

Elle s'indigna, ce qui procura à Plantin une bien vive joie :

— Venez demain. Évidemment. Vous êtes mon ami. Le seul ami. Venez comme ce matin.

— Je ne peux pas. Je ne peux qu'à sept heures du soir.

— Why?

— Vous allez avoir honte de moi, je donne des leçons de dessin.

— Pourquoi, honte de vous? Moi aussi, je travaille, à Londres, fit-elle, douce-amère. Je vous attends à sept heures, oui.

— Eh bien... Bonsoir, Pat...

— Bonsoir, Henri.

Il s'en allait déjà. Elle allait sonner. Sa main retomba. Elle rejoignit Henri, se jeta contre lui :

— Embrassez-moi, Henri.

Éperdu, il l'embrassa à pleine bouche, à belles dents, en l'étreignant si fort qu'ils semblaient des lutteurs silencieux dans la nuit.

Elle gémissait comme sur les toits le pigeon blanc. Les rues tournaient dessous leurs yeux fermés.

Elle le repoussa enfin. Elle tremblait.

— Allez-vous-en, maintenant. Il ne faut pas. Il ne faut pas. Allez-vous-en.

Il ne bougea pas.

Elle revint à l'hôtel, toute claire dans le noir. Elle ouvrit la porte et dit en se retournant :

— Sept heures.

CHAPITRE VI

Il avait étreint son traversin. Mordu les draps. Embrassé, caressé le mur. Il s'était vingt fois réveillé en sursaut. Une robe rouge venait de traverser la chambre. Puis une robe bleue. Un cheveu blond. Un regard d'eau de mer.

Il se leva enfin, soucieux et fatigué. Il avait, aux lèvres, marqué au fer, le goût des lèvres de Pat. Un goût d'été, de thé au jasmin, et de source et de citronnelle. La maladie. On dit des bêtes, à la campagne, qu' « elles ont la maladie », sans préciser laquelle. Henri avait « la maladie ». Il n'était plus chez lui dans sa peau. Il ne pouvait plus l'être que dans une autre. Donc le ciel lui était tombé sur la tête, comme il se l'était dit au pied du Sacré-Cœur. Plantin avait acquis une autre dimension, et flottait de partout en cette dimension neuve et trop vaste pour lui. Touché par la grâce, il ne comprenait pas. Il savait seulement qu'il lui fallait pour vivre la bouche de Pat sur la sienne. Et qu'il fallait aller à la « Samar », ce qui lui parut fou et dérisoire. Ce lundi, jour habituel de fermeture, les magasins ouvraient leurs portes. On « récupérait » à l'avance le samedi du 15 août. Plantin n'avait pourtant aucune envie de voir quelqu'un d'autre que Pat, de parler à d'autres oreilles que celles perdues dans une résille blonde.

Gogaîlle frappa, entra. D'un coup d'œil, le vieux jaugea la situation. Plantin n'était plus sur la terre commune, Plantin était flambé. Ils échangèrent des « Ça va? » tout à fait quotidiens. Gogaîlle se garda de poser la moindre question. Son ami avait attrapé pis que la gale et pis que la vérole. Gogaîlle ne pouvait rien pour lui, aux hauteurs inaccoutumées où Plantin respirait. Malgré tout, Henri laissa échapper un cri de douleur.

— Dire qu'il faut passer la journée à la « Samar » au lieu... au lieu de... Ça, c'est le plus vache. Parce que...

Il cassa un lacet de chaussure, ne s'en aperçut même pas :

— ... des jours, j'en ai pas de trop. Le 31, tout sera foutu. Se priver de ça pour aller vendre des bobines de nylon 16 ou 24 centièmes, c'est pire que tout!

La mère Pampine était posée sur son paillasson comme un monticule de tripailles dans un recoin d'abattoir. Le regard d'Henri passa au travers d'elle comme dans une vitre, et la mère Pampine eut une crainte affreuse, celle d'être devenue à son insu moins répugnante, ce qui eût détruit son prestige.

Chez Rosenbaum, on commentait à tue-tête les résultats du tiercé de la veille :

— Qu'est-ce que t'avais joué, toi, Plantin? interrogea Rosenbaum.

— Je ne sais plus, murmura Henri.

— D'accord, t'es pas réveillé, admit le patron qui le planta là pour agiter plus loin son journal de turf, tout en explosant à intervalles réguliers comme ces chaînes de pétards destinés à effaroucher les corbeaux : 7.4.1., c'est de la combine et je vous le prouve! C'est matériellement impossible!

La suite se perdit au bout du zinc. Henri remuait son café sans l'avoir sucré.

— Ulysse, fit-il enfin, ça te ferait rien, pour le tiercé, de jouer pour moi, les dimanches? J'ai plus la tête, tu comprends, plus la tête du tout.

— Si tu veux.

Henri protesta :

— Qu'est-ce qu'il a ce café? Il est dégueulasse!

— Il a qu'il n'est pas sucré, fit doucement Gogaille. Henri... pour la Samar... tu devrais te faire mordre par un chien.

— Hein?

— Oui. Tu te balades et, quand tu vois un chien tu passe à ras. Avec un peu de pot, tu te fais mordre.

— Et alors? Tu trouves ça marrant?

— C'est pas marrant si c'est un chien pauvre. Mais, si c'est un chien riche, tu boites! Et tu as une pension!

— Encore tes pensions! Y a des expertises.

— Ah ça, bien sûr, je te le dis, faut de la chance. Faut que les crocs t'amochent le nerf tibial ou péronien.

136

— Peuvent aussi me becqueter en entier, ça ira plus vite.

— N'en parlons plus. C'était une idée, pourtant. Alors qu'est-ce que tu veux que je te dise! Si tu as autre chose de mieux à faire en ce moment que d'aller bosser, pique un macadam [1]!

— J'y ai pensé. Même que ça va saigner!

— Quand même! Quand même! Vas-y mou!

Gogaîlle prit un air ennuyé. Plantin le colla au comptoir d'une tape allègre :

— Fais pas cette tronche, Ulysse! A part la Samar, je suis pas à plaindre. Salut. J'ai besoin d'être seul...

Il ajouta, mystérieux, avant de sortir du bistrot :

— ...Pour être deux.

Rosenbaum intrigué s'approcha de Gogaîlle :

— L'a pas l'air dans son assiette, Plantin.

— Tout à fait dans son assiette, au contraire. Même que c'est une assiette anglaise.

Gogaîlle disparut sur cette réplique en apparence absurde, et Rosenbaum prétendit tout le jour que l'extravagant résultat du tiercé avait fait plus de dégâts que le soleil quant aux facultés de raisonnement du petit peuple de la rue Saint-Martin.

Ce n'était pas possible, aussi. C'était trop bête, monstrueux. Il n'avait pas le droit de se priver d'elle pendant des heures et de passer ces heures au rayon Pêche. De plus, que ferait-elle, pendant ces journées sans lui? Elle verrait Peter. Pire, elle rencontrerait

1. Argot d'usine. Se blesser volontairement ou simuler une maladie.

un beau jeune homme athlétique, aussi français que lui, Plantin, et qui lui ferait visiter Paris en voiture sport décapotable. Pire encore, le beau jeune homme n'aurait pas, lui, les pudeurs et les retenues d'un amoureux timide et coucherait avec Pat à la première occasion.

Ce fut dans cet état d'esprit navrant qu'Henri prit son service.

Il était seul avec Mme Buche la caissière. Glouby, son collègue du rayon Chasse, préparait l'ouverture, des clients épaulaient des fusils dans des éclaboussements de plumes imaginaires.

Le verbiage ronronnant de Mme Buche attelée aux maladies de son mari avant d'étaler les siennes propres empêchait Henri de penser.

Il entreprit bientôt du rangement, demeura accroupi devant un tiroir.

Piquer un macadam, oui. Comme ces ouvriers qui, las de travailler quand le printemps est là de l'autre côté du mur, se laissent tomber un outil sur la main pour gagner trois jours d'assurances et de LIBERTÉ. Comme ces millions d'êtres que la société ne lâche dans la vraie vie qu'avec un compte-gouttes et qui, un jour, pour quelques jours, se paient le risque et le luxe d'un bienheureux accident du travail, comme si le vrai, l'horrible, ne les guettait pas à tout moment.

Plantin avait eu recours à des grippes abusives, avait par-ci par-là rogné des quarante-huit heures sans intérêt. Cette fois, il voulait décrocher un gros lot d'une semaine. Après? Il ne voyait pas si loin. Il entendait ne ressortir d'ici qu'avec sa semaine.

Il réfléchissait. Piquer ce merveilleux macadam à la Samar, ce n'était pas un jeu d'enfant. Il ne pouvait se taper sur le crâne avec une canne à pêche. Avaler le contenu d'une pochette d'hameçons, ainsi qu'il y avait songé, ne pouvait guère prétendre passer pour très naturel. Se porter dans le bras ou la main un coup de gaffe à brochet, ce n'était pas si mal, mais un peu trop dangereux. Il ne serait plus question, après cela, de promenades avec l'amour en personne, mais de stage en clinique et aux antipodes du but recherché. L'hameçon encore, mais dans le doigt? Bénin. Me curochrome. Un après-midi de repos à tout casser. L'hameçon de mer numéro 12-0? Aussi périlleux que la gaffe. La flèche des fusils sous-marins? Efficace, bien sûr, mais à la façon d'une balle de revolver. Ne revoir Pat qu'au ciel lui parut fort aléatoire. Dans tous les cas, trop éloigné dans le temps.

Il avisa soudain les dégorgeoirs, ces fortes aiguilles au bec aplati et fendu, qui servent à fouiller dans la gorge des poissons pour en décrocher l'hameçon. C'était moins effrayant que le reste. Atroce quand même, mais possible. Pat valait certes plus qu'une messe. Pour un instant de douleur, il la verrait chaque jour. Ni Peter, ni personne ne la toucheraient, que lui. Quand même impressionné, il ravala sa salive. Mme Buche somnolait, à cent lieues du drame qui s'ébauchait près d'elle. Là-bas, Glouby vantait les mérites d'une carabine à assassiner les moineaux à un père préoccupé par les futures vertus guerrières de son fils.

Non loin d'Henri, un client imminent fourrait

son nez dans une musette en « superbe tissu imperméable ».

Pat. Pat. Ma jolie Pat. Ma chérie. Pat mon amour.

Plantin leva les yeux au plafond...

Il poussa un cri affreux.

Mme Buche se dressa comme si on lui eût, à elle, poignardé le fessier. La carabine de Glouby tomba avec fracas sur le plancher. Le père sanguinaire et l'homme à la musette exécutèrent des bonds de puce affolée.

Henri se mit debout, livide. Le dégorgeoir lui avait traversé la main gauche. Le sang coulait sur la vitrine de mouches artificielles.

A cette vue, Henri sentit son cœur se renverser dans sa poitrine et s'effondra, inanimé, dans les bras de Glouby accouru.

— Le docteur! piaillait Mme Buche en voltigeant d'un mur à l'autre.

— Un docteur! hurlaient les clients déjà fiers de raconter à leurs parents et connaissances un événement aussi peu courant.

Il ne reprit conscience qu'à l'infirmerie du magasin. Son premier regard fut pour sa main. Le dégorgeoir ne s'y trouvait plus. Il était là, tordu, sur une table.

— Alors, mon vieux?

Le médecin...

— Ça va mieux?

Plantin bredouilla :

— Ça me fait mal.

— Je m'en doute! J'ai déjà vu des accidents, mais

celui-là n'est pas banal! Je me demande comment vous avez fait votre compte!

— Oh! docteur, je n'ai pas fait exprès, murmura Henri en rosissant.

L'autre s'esclaffa :

— Ah ça, j'en suis sûr! Pour le faire exprès, il vous aurait fallu un foutu courage!

Henri sourit, malgré les élancements qui lui crispaient la main. On lui fit une piqûre, puis un pansement.

— Comment je vais pouvoir travailler avec ça? s'effara Plantin.

Le docteur, *in petto*, se promit de rapporter à la direction cette réflexion d'employé modèle.

— Travailler! Vous êtes fou, mon ami! Allez donc vous coucher. Et revenez me voir tous les matins pour votre pansement. Vous ne serez pas à votre rayon avant huit jours.

— Huit jours! Mais qui me remplacera? Mon collègue est en vacances!

— Ne vous énervez pas avec ça. On vous remplacera, un point c'est tout. Vous tenez sur vos jambes, au moins? Levez-vous.

Elles avaient des mollesses de chaussettes, mais elles tenaient.

— Vous avez toujours un peu mal?

— Un peu beaucoup.

— C'est normal, mon ami. Ça vous fera mal deux jours. Et dites-vous bien qu'à deux millimètres près votre main n'aurait jamais pu se refermer tout à fait.

Cette révélation passa le visage de Plantin au blanc gélatineux.

Dans la rue, il dut s'asseoir sur un banc. La tête lui tournait. Un rat enragé lui rongeait le creux de la main. Henri serra les dents. Il verrait donc Pat tous les jours. Tous les jours. A elle aussi, il faudrait raconter une histoire. Il s'admira. L'automobiliste dédaigneux de l'autre soir n'était certes pas capable, pour les yeux gris d'une femme, du « foutu courage » dont avait parlé le toubib. Bientôt midi. Il savait où Gogaîlle prenait son déjeuner, dans un bouchon de la rue des Déchargeurs. Il s'y rendit en grimaçant. Demain, après le pansement, il passerait au rayon Pêche pour voir comment on se débrouillait sans lui. Il s'excuserait du dérangement causé par sa maladresse.

Gogaîlle laissa en suspens dans les airs le tronçon de saucisse qu'il s'apprêtait à engloutir.

— Eh bien, eh bien... bégaya-t-il, effrayé.

— Macadam, soupira Henri en s'asseyant près de lui.

Il lui narra toute la scène, Gogaîlle le considéra avec respect.

— C'est pas pour me vanter, Riquet, finit-il par articuler, mais t'es mordu. Ah! oui, t'es mordu. Tu m'aurais pas fait me traverser le petit doigt avec une épingle pour Clotilde, et pourtant Clotilde, je l'avais à la bonne. Des gars mordus, j'en ai vu, mais des comme toi, putain de moine, jamais. Si tu veux mon avis, tu es antique. Parfaitement, antique, comme les Grecs et les Romains!... Ah! dis donc, j'ai vu mon peintre, ce matin.

— C'est pour ça que je suis venu te voir.

— Je lui ai causé de toi. Il est d'accord pour te prêter des toiles, un chevalet, enfin, tout ce qu'il faut. « Une histoire d'amour, c'est sacré, qu'il m'a dit. Pour ça, je peux même lui prêter ma chemise. » Tiens, le nom et l'adresse.

— Merci. Je vais y aller tout à l'heure. Tu comprends, si jamais ce soir elle voulait...

— Et ta main?

— Je m'en fous, de ma main. Si Pat était là, je sentirais plus rien. Je la regarderais dans les yeux. Quand je suis dans ses yeux, c'est comme si je buvais de l'éther.

— Bois plutôt un coup de rouge, grommela Gogaîlle qu'éberluait cette passion. Comment que sa bonne femme va le retrouver, songea-t-il avec un certain embarras. Dingue à mort et prêt à plonger dans le jaja jusqu'aux cheveux pour oublier la môme.

Au début de l'après-midi, Plantin sonna chez Martin Rolland, peintre et habitant du XVe, personnage d'à peu près son âge, sympathique, barbu, chevelu et l'œil à ressort derrière les lunettes.

— Ah! c'est vous, l'amoureux! Bravo! Vaut mieux ça que d'attraper la chtouille, encore que ce soit pas incompatible. Des fois, ça marche ensemble mais je vous le souhaite pas. Mais, qu'est-ce que vous avez à la main?

De plus en plus grisé, Plantin fit une seconde fois le récit de son exploit. Martin Rolland en oublia d'allumer sa pipe.

— Chapeau, mon pote, chapeau. Seulement, faut que je garde ça pour moi sans ça Nicolette — c'est ma bergère, Nicolette — elle me dira que c'est pas moi qui ferais ça pour elle.

— Elle ne repart peut-être pas dans trois semaines, dit Plantin avec douceur.

— Ah! non, rêva le peintre, ah! non...

Il lui montra ses tableaux.

— J'y connais rien, avoua Henri.

— Les critiques non plus, le rassura son hôte. Sans ça, je vivrais pas là, mais dans un château Louis XIII avec piscine et Rolls.

Plantin les trouva malgré tout plus à son goût que ceux de la Butte.

— Nature, il y a la signature, et je peux quand même pas la changer. A votre fille, vous direz que c'est un pseudonyme parce que vous avez fait de la cabane. C'est romantique la cabane.

— Vous croyez?

— Du moins vous le laissez entendre. Faut lâcher un peu de mystère au bon moment. Bon, je vous en prête une quinzaine, des pinceaux, des godets, toute la panoplie. Je vais vous aider à mettre tout ça dans un taxi.

— En garantie, je peux vous laisser une montre en or...

— Pas de garantie! Vous avez une bonne frime, vous êtes dans les étoiles, ça me suffit. D'abord, vous pouvez rien me garantir. Ce que je vous prête là, ça vaut dix-sept ou dix-huit brouettes de montres en or.

Avec une seule main, Henri ne fut guère d'utilité pour le transport. Martin Rolland s'en aperçut.

— Je vais jusqu'à chez vous, finalement.

— Mais non, je vous dérange assez comme ça.

Cet assaut d'humilité ne convainquit pas le peintre, et ce fut en taxi que les deux hommes, les toiles, le chevalet, etc., firent leur entrée dans le passage.

La mère Pampine, posée sur son paillasson comme une poubelle renversée, eut la fâcheuse idée de ricaner à la vue des tableaux.

— Plaît-il, madame, fit, suave, Martin Rolland.

— C'est rien vilain! Houlà, que c'est vilain!

— Mais madame, quand aurez-vous fini de prendre ces toiles pour un miroir?

— Pourriez tâcher d'être poli, vous, le barbu, proféra-t-elle avec dignité.

— On va tâcher. Pour commencer, je vous emmerde!

La mère Pampine ouvrit tout rond une bouche stupéfaite. Une mouche qui voguait alentour fut foudroyée comme par une giclée de Fly-Tox.

Henri, qui grimpait déjà l'escalier, se retourna, héroïque :

— Parfaitement, qu'on vous emmerde!

Mme Anna Pampine, pétrifiée, se dit, l'écume à l'âme, se dit, en d'autres termes néanmoins, qu'il y avait quelque chose de pourri, hormis elle, dans le royaume du Danemark.

Pat l'attendait devant l'hôtel, en robe de foulard vert bourgeon. Elle eut un élan vers lui :

— Henri! Vous êtes blessé? Vous êtes pâle!

Il avait souffert, pris des cachets. Mais ainsi qu'il

l'avait espéré, toutes douleurs s'apaisaient dès qu'elle était enfin présente.

— Ce n'est rien, Pat, rien du tout.

— Si! Vous... vous...

L'émotion de Pat le payait au centuple. Il n'était pas William, ne le serait jamais, mais elle l'aimait bien quand même, lui donnerait encore ses lèvres, ce soir, quand ils se quitteraient.

— Je me suis planté une fourchette à escargots dans la main. C'est idiot.

C'était idiot, certes, et elle ne put s'empêcher de sourire.

— Une fourchette à escargots?

— Oui. J'ai glissé, je n'ai pas eu le temps de lâcher la fourchette...

— C'est terrible.

— C'est surtout moins spectaculaire qu'un duel à l'épée entre deux mousquetaires.

— Mon pauvre Henri... Et vous êtes venu quand même? Il ne fallait pas.

— Je serais venu de toute façon. Même s'il avait fallu me porter.

Elle détourna les yeux.

— Pourquoi, Henri?

— Why, Pat? Parce que... Parce que...

— Because?

— Because... vous.

Il avait une peur que tout homme eût éprouvée à sa place : celle de voir Pat s'installer dans une camaraderie confortable, incolore et sans danger. Quand les femmes s'épatent, béates, dans ce fauteuil à bascule, il est bien difficile de les déloger. Elles se demandent alors quelle mouche vous pique d'ainsi abîmer à coups de mots d'amour ou de gestes peu fraternels « une merveilleuse amitié ». Sans trop les connaître, Henri pressentait le côté mouvant de ces sables. Il n'avait que faire d'une Pat « copain ».

On ne pouvait être copain avec ces yeux gris et cette bouche sans être pour le moins impuissant, ou inverti, ou indifférent, ou amoureux, cas extrême, d'autres yeux gris, d'une autre bouche. Aussi, pour bien marquer ses intentions, s'en permit-il une qui, agréée ou non, avait l'avantage d'être limpide : il se pencha, agaça de ses dents la nuque de Pat comme l'eût fait un chat. De bons amis agissent rarement de la sorte.

— What are you doing! *Qu'est-ce que vous faites!* protesta Pat.

Mais le coup d'œil à la fois attendri et surpris qu'elle lança à Henri prouva à celui-ci qu'il n'avait point commis de crime irréparable. Pour mieux encore l'affirmer, elle amena la main bandée à ses lèvres pour y déposer une fleur de baiser, une fleur d'immortelle peut-être. « Si je pouvais, supputait Plantin, lui révéler l'affaire du dégorgeoir, elle en pleurerait. Son William n'a jamais dû aller si loin. » C'était dommage de laisser ainsi ses meilleures armes au vestiaire.

Ils dînèrent place des Victoires, en terrasse encore tant le ciel était clair. Face à Louis XIV, Pat, sujet anglais, coupa la viande d'Henri Plantin et lui servit à boire.

— Vous avez vu Peter, aujourd'hui?

— Non.

Elle prit, pour réfléchir, le temps d'allumer une cigarette.

— Vous pensez que Peter et moi? Non, Henri. Jamais.

— Je ne pense rien, Pat. Vous êtes libre.

— Non plus, je vis avec... a ghost.

— Avec un quoi?

— Attends, je ne sais pas dire.

Elle sortit de son sac un dictionnaire minuscule, le feuilleta :

— Avec un fantôme.

— Ah! oui? Depuis longtemps?

— Six mois.

Il se contraignit à une réaction virile, mais sa voix le trahit, qu'il voulut ferme, ne fut que chevrotante :

— Ne me parlez plus de vos fantômes, ou je rentre chez moi.

Elle eut une moue agacée :

— Ce n'est pas comme ça qu'on chasse le fantôme. Henri.

Il battit en retraite :

— Alors, dites-moi comment. Moi, je ne sais pas. Il doit y avoir une trop grande différence entre le fantôme anglais et le français.

Elle lui offrit une cuiller de parfait au café. Puis une autre. Parfait parfumé à ses lèvres.

— Pat, je veux le chasser, votre ghost. Mais comment?

Elle eut un sourire troublé, murmura sans le regarder :

— Bite my nape. Ghosts hate that. *Mordez-moi la nuque. Les fantômes ont horreur de ça.*

Elle ne voulut jamais traduire cette phrase.

Il n'avait de sa vie mis les pieds sur un bateau-mouche. Il n'était plus accoudé au parapet d'un pont, ébloui par les lumières de ces navires bulles « à vision panoramique » armés pour les touristes. Il avait cette nuit quitté le poulailler, c'était lui, le jeune premier debout à la proue, la main dans celle de l'héroïne. La Seine obscure s'écartait devant eux. Ce conventionnel décor des amours de Paris paraissait fantastique à Plantin. A Patricia aussi, peut-être.

Un projecteur parfois allait cueillir et aveugler comme autant de hiboux les clochards et les amoureux, images mondialement classiques, chromos que l'on s'ébahissait, à bord, de voir enfin surgir de la carte postale pour devenir réels.

Henri avait posé sa main ʷalide sur l'épaule de Pat. Il aurait fallu qu'il la prît par le cou. Il aurait dû. Mais rompre un charme tel comportait des périls qu'il n'osait affronter. Bateau-mouche. Bateau louche. Et bateau bouche. « Elle m'embrassera devant l'hôtel, comme d'habitude. » Il en arrivait à souhaiter cet instant, qui ne viendrait que dans deux heures, et serait pourtant celui de la séparation. « Je l'aurai contre moi. Je sentirai ses lèvres et ses cheveux. Sa poitrine contre la mienne. »

Impatiente, sa main serra plus fort, très fort, l'épaule nue. Notre-Dame sortait, radieuse, comme ensoleillée, de la nuit, soulevant d'admiration garantie sur facture les Scandinaves de leur siège.

Ivre de poésie millénaire et gothique, la jeune Anglaise s'alanguit brusquement dans les bras de Plantin et sa bouche devança la cérémonie de l'hôtel.

Le flash d'un Norvégien grava sur pellicule ce tableau parisien. Henri fermait les yeux, assuré, lui, de revoir Notre-Dame. Pat gardait les siens grands ouverts pour se constituer un souvenir durable de cet incident de voyage.

Un désir à paillettes leur coula dans le sang comme coulait la Seine tout au long du bateau.

— I'll go to your place soon, souffla Pat. *J'irai chez vous bientôt.*

Henri décida d'apprendre l'anglais sans plus tarder.

Il avait acheté une méthode « Assimil » et même dépassé le cap du « my tailor is rich ». Chaque soir, après le déjà traditionnel baiser devant l'hôtel, il rentrait chez lui, étourdi, les jambes coupées.

Il frappait alors à la porte de Gogaïlle qui l'attendait et le saluait par ces mots, livre en main :

— Haou iz your sistë?

Plantin répondait :

— Shî iz not ouel, hër àppitaït iz not goùd.

Etc. 6e Lesson.

Les efforts et la prononciation d'Henri égayaient Pat comme autant d'énormes plaisanteries. L'accent de la rue Rambuteau était si loin des inflexions de Kensington que Pat, parfois, n'en pouvait plus de dire :

— Arrêtez, Henri, je vais mourir.

— Have you my book in your pocket? déclamait Plantin sans pitié avant d'enchaîner sur : Emily, have you any beer for the postman?

Il avait dans son portefeuille, sur son cœur, la photo prise sur le Boul'Mich le soir de leur rencontre. Il la regardait à tout bout de champ dès qu'il était seul et murmurait :

— And what beautiful hair she has! *Et quels beaux cheveux elle a!*

Assimil lui fournissait aussi ce mélancolique dialogue :

— Have you any flowers for me? *Avez-vous des fleurs pour moi ?*

— No, I have some roses, but they are not for you. *Non, j'ai des roses, mais elles ne sont pas pour vous.*

Cette négation lui paraissait chuchotée par une Pat irréelle et cruelle. Plantin alors jetait le livre et, triste, s'attaquait devant l'implacable calendrier des P.T.T. 11 août, fini. Finished. 12 août, passé. 13 août, c'était hier... « Je ne l'aurai pas », soupirait-il. Il n'aurait pas même ce corps, à défaut de ce cœur. Le sien, de corps, était plus douloureux, plus à vif chaque soir, après ce baiser chaque soir plus long, plus violent. Une fois même, après qu'elle lui eut parlé en anglais avec une sorte de rage, il avait cru entrer à l'hôtel avec elle. Mais Pat l'avait à la dernière seconde supplié de rester dans la rue et, pour l'amour d'elle, il avait obéi. La porte refermée, il s'était traité de pomme, d'imbécile et de petit garçon. Gentleman, soit, mais, à quarante ans, demeurer seul, dehors, dans le froid... car il avait eu froid partout malgré la nuit d'août.

On lui faisait infiniment moins mal, le matin, à la séance quotidienne de soins et de pansements.

Ce 14, il la promena dans les entrepôts de Bercy, ce village ignoré que rafraîchissent, l'été, les mille

tuyaux qui lavent foudres et barriques, village aux
senteurs de vin épanouies sous le vert cru des mar-
ronniers. Comme il est clos de hautes grilles, on en
pense les entrées interdites. On y tape du maillet
dans des rues aux pavés branlants et aux bien tendres
noms : rue de Vouvray, de Nuits, de Sauternes ou
de Cognac. Les hauts talons de Pat se prenaient dans
les rails des wagons de marchandises. Elle était fort
amusée de constater que Paris avait eu le souci de
consacrer quelques-uns de ses hectares aux vins et
spiritueux.

— Vous mourrez tous alcooliques, les Français,
s'exclamait-elle en découvrant les cuves gigantesques
alignées à l'intérieur ombreux des chais.

— Impossible. Il y a longtemps que ça serait fait.

Cet après-midi-là, il recueillit de la plus belle des
bouches une confidence au sujet du mystérieux William. Il était photographe au *Woman's Own*, un des
journaux de mode pour lesquels posait Pat. Ils s'étaient
aimés. Il devait l'épouser. Mais à un bal de « debs »
où il officiait, la fille de Lord Hilling s'était éprise de
lui. Il n'avait pu résister à l'attrait d'avoir un golf,
un yacht et une chasse à la grouse dans les High-
lands. Et Pat ne l'avait pas revu depuis six mois.

Ce feuilleton trouva en Plantin un lecteur crédule
et indigné. Renoncer à Pat pour le golf de Lord Hilling lui semblait d'autant plus monstrueux qu'il se
souciait du golf comme du quart. Pat se mordit la
lèvre en songeant à ce *rotten* (salaud) de Will, en
fait bookmaker sans gloire ni golf du côté d'Epsom.

Henri pensa qu'elle souffrait, lui ramena doucement sur la tempe une mèche blonde que la brise

écartait pour cacher à Plantin des yeux qui lui seraient bien assez tôt volés.

— Vous l'aimez toujours?

— I don't know. *Je ne sais plus.* Peut-être...

Elle le regarda, incertaine :

— Peut-être que je m'en foute.

— Que je m'en fous.

Incertaine, oui, et perplexe. Elle s'interrogeait sur le charme d'Henri. Que lui trouvait-elle donc de séduisant, à son petit Français? Désemparée à son arrivée à Paris, elle avait dû s'attacher à lui comme à un gentil animal. Elle ne voulait rien s'avouer du tout. Si, à la rigueur, une chose. Il l'embrassait d'une façon qui lui plaisait chaque jour davantage. Les femmes, ces bulles, ces douzaines de roses, ces oiseaux des îles, ont parfois de singulières préoccupations.

CHAPITRE VII

Vint le 15 août. Henri enleva son pansement, le remplaça par un carré de sparadrap. Il pouvait refermer la main sans trop grimacer. Il se plaindrait encore, mardi, pour tirer deux ou trois jours supplémentaires de liberté. Il ne se cachait pas qu'il avait, quant à Pat, de sombres idées derrière la tête, celles d'ailleurs qui viennent tout naturellement à qui aime une femme. S'il ne parvenait pas à les mettre à exécution alors qu'il jouissait de son temps et de ses mouvements, comment y parvenir lorsque le réemprisonneraient les horaires et les servitudes d'un vendeur de la Samar ? Mais le pas à franchir l'effrayait, le nouait.

« Je vais ramasser une gifle, c'est tout ce que je vais gagner, soliloquait-il. Elle va me dire... »

Il sautait sur son Assimil :

« ... I thought you were my friend, but you're just like all the others. Good bye. ... *Je croyais que vous étiez mon ami, vous êtes une brute comme tous les hommes. Adieu.* »

« Voilà ce qu'elle me dira, et en français, pour que je comprenne bien. »

Il ne pouvait s'ouvrir de cela à Gogaille. Ulysse lui eût conseillé l'assaut à la hussarde. Il aurait bien voulu l'y voir, lui, Gogaille, avec Pat! Ou plutôt non! Pas du tout! « Seulement... si je tente rien... c'est quand même pas à elle de me faire des avances. Henri! La France te regarde! Il faut justifier la réputation du Français! D'où elle vient, encore, celle-là, je vous le demande. De Henri IV. De François Ier. C'est bien commode, c'est bien facile, quand on est roi. Ça arrange bien les choses... »

Il s'adressait ensuite au pigeon blanc, là, sur le toit : « Et pourtant! William! Ouais... elle l'aimait. C'est différent. Ça aussi, ça arrange bien les choses. Simone, tiens, elle m'aimait! C'est arrivé tout seul, et Véronique avec. Pat, elle aimait William, et elle ne m'aime pas. »

Il répétait, idiot, « elle ne m'aime pas », et cette phrase atroce créait en lui un vide pire que dans les hémisphères de Magdebourg. Et il allait de long en large dans la chambre changée en atelier de peintre, débarrassée des portraits de famille, du couvre-lit « piqué dessus satin rayonne uni, dessous vieux rose », chambre inutile où elle ne mettrait pas ses beaux pieds nus. « Et je me plains! Mais seulement l'embrasser, je l'aurais pas rêvé il y a une semaine. Seulement l'approcher. Seulement imaginer qu'elle existait. Qu'est-ce qu'il te faut, tu es dingue, Plantin! »

Alors il faisait des gestes effectivement fous, qui épouvantaient le pigeon, et rugissait, les yeux fermé, en se cognant aux murs :

« Il me la faut! Il me la faut! Pat, dis-moi, Pat jolie, que tu seras à moi, à moi, à moi! »

Oui, les dimanches et le jour de la Sainte-Marie, le Paris du mois d'août vous avait de faux airs de ville de province avant que la province ne connût à son tour la civilisation des automobiles et de la zone bleue.

En sortant de chez lui, Henri se crut ramené une vingtaine d'années en arrière, aux temps de l'occupation. On peut trouver fort à redire au sujet de l'Allemand 40-44. En particulier sur ses raisons de se promener habillé de vert sur les Champs-Élysées. Il n'empêche que cet homme dota le Parisien d'un Paris comme on en voit peu aujourd'hui, rural, vélocipédique, silencieux et des moins grouillants. Alors, les berges de la Seine étaient, non point des cimetières de voitures, mais des berges de Seine. Au point de vue urbain, cette époque, que bénit et chanta le grand Paul Claudel — pour d'autres motifs — avait ses qualités.

Tout en marchant, Plantin savoura cette paix. Le Parisien parti à la campagne, Paris était campagne et espérait la multiplication de ses arbres, la plaine à l'endroit de ses squares de quatre mètres sur deux, les fleurs dans tous ses pots d'échappement.

Pat, je vais à toi comme une épée. Malgré ma gueule de tout-venant sur des épaules de gouttière, je suis l'homme. L'homme que tu crieras, pleureras, chanteras. Qui te mordra la nuque. Tu es ma femme, ma vraie femme. Ma femme est la femme que j'aime, personne d'autre, et je t'aime, et je t'aime. Il y aura plus tard du brouillard sur Londres, de la pluie sur

Paris, et cette pluie me parlera de toi qui as des yeux couleur de pluie. I love you, kiss me quick, Patricia Greaves. Prononcer : Grîvëss. J'arrive. Pressens-tu en ton corps que j'arrive ?

Il acheta des fleurs à l'entrée du métro Halles et poursuivit son chemin, son bouquet ridicule à la main. Touchant Plantin. Attendrissant Plantin. Je voudrais tant que l'on te voit comme je te vois à cette seconde passant dans la rue Coquillière, clos comme une huître sur un rêve d'amour qui ne doit rien à Liszt...

Mon pauvre Henri, dans quinze jours, elle ne sera plus là. Je ne puis rien pour toi. Il fallait, ce soir-là, ne pas traîner tes guêtres sur le quai de la Mégisserie. Ce n'est pas de ma faute, ni de la tienne. Mais il vaut mieux sans doute crever à petit feu que de vivre de même.

Il respira. Le portier de l'hôtel Molière n'était pas dans le hall. Il n'aurait pas à essuyer l'injure de ses gros yeux mouillés.

Au deuxième, devant la chambre 26, il tressaillit. Pat n'était pas seule. Il l'entendait parler très vite avec un homme. Ces éclats de voix en anglais ne dirent rien qui vaille à Henri.

Elle criait à présent :

— Get out! Get out! *Sortez! Sortez!*

Un rire lui répondait, qui se passait de traduction. Inquiet, Plantin frappa à la porte, créant ainsi à l'intérieur un silence subit.

— Who is there? *Qui est là ?* fit enfin Pat.

— C'est moi, Henri.

Deux phrases violentes furent encore échangées, puis :

— Entrez!

Henri poussa la porte, ahuri.

Pat décoiffée, en robe de chambre, se disputait avec un Peter furibond.

— I won't get out, rageait celui-ci, and no dirty little Frenchman will make me either! *Je ne sortirai pas, et ce n'est pas votre sale petit Français qui me fera partir!*

— Qu'est-ce qu'il y a, Pat? grogna Plantin. Qu'est-ce qui se passe?

— If you won't sleep with me, Pat, menaçait Peter, I'll tell him everything. I'll draw if necessary, one way or another, I'll make him understand what we were to each other. I don't care about French girls, it's you I want. All French girls stand their time only thinking of my money!!... I know where I am with you, Pat. Hell it may be, but it's a hell I love. *Si vous ne couchez pas avec moi, Pat, je lui ferai comprendre, s'il le faut par signes que je vous ai eue autrefois. Je me fiche des Françaises, c'est vous que je veux. Vos Françaises, elles ne pensent qu'à mon porte-monnaie. Avec vous je sais où je vais et, Dieu me pardonne, Pat, c'est un enfer qui ne me déplaît pas.*

Pat le fixa avec un mépris qui fit serrer les poings de Plantin.

— What a swine you are, Peter. Do you really think I'd give you time to explain anything? One word of me and he'd throw you out of this room so fast you wouldn't know what hit you. *Vous êtes un sale type, Peter. Je ne vous laisserai pas le temps de lui expliquer quoi que ce soit. Sur un mot de moi, il va vous chasser de cette chambre.*

— Your little pal doesn't frighten me, you know. *Il ne me fait pas peur, votre petit bonhomme.*

Pat se tourna vers Henri :

— Il manque de respect à moi, Henri. Dites-lui de sortir.

— Si je lui dis, il comprendra rien. Mais il comprendra bien les gestes.

La gorge malgré tout serrée, car Peter le dominait de deux têtes, Henri s'approcha de l'Anglais en lui désignant la porte d'un doigt désinvolte :

— Allez, mon pote, du vent. Allez, du balai. Si on ne t'a pas appris la politesse à Oxford Cambridge, je vais t'en toucher deux mots.

— Out of my way, ape-man! *Fous-moi le camp, petit con!* répliqua Peter véhément.

Et, comme à son goût Plantin se trouvait trop près de lui, il le repoussa d'une main dédaigneuse. Henri connut tous les ridicules, celui de tomber sur le lit et de provoquer ainsi l'hilarité de l'adversaire.

Il se releva d'un bond et se précipita, prêt à exécuter le double coup de pied et de genou qui avait foudroyé le nègre de Saint-Germain-des-Prés.

Il fut cueilli en contre par un direct au nez et achevé, alors qu'il amorçait sa chute, par un crochet du gauche à la mâchoire.

Sur le plan purement technique, c'était parfait, et Plantin ne put qu'apprécier implicitement la beauté du mouvement. Autrement dit, il s'affala les bras en croix, inerte.

— Oh! s'écria Pat, désolée.

Peter sourit en se frottant le poing.

— I'll leave you with superman, Pat. For the

future, if you don't mind, I'll only run after you in Piccadilly. I leave on the evening of the 19th. Till september, ducky! *Je vous laisse avec votre surhomme, Pat. Avec votre permission, je ne vous courtiserai plus qu'à Piccadilly, jolie barmaid. Je pars le 19 au soir. A septembre, petit canard!*

Il s'en alla en brossant son chapeau, selon les vieux rites des films de gangsters. A toute volée, Pat lui claqua la porte dans le dos, la verrouilla, s'agenouilla vivement près du malheureux Plantin.

— Henri! Frenchie! Petit Français! Répondez-moi!

Il saignait du nez. Elle s'affola, courut à la salle de bains, revint, lui nettoya le visage, lui fit respirer des sels. Une ecchymose énorme bleuissait le menton du vaincu.

— Henri. Henri, mon petit! Répondez-moi!

Cette voix éplorée atteignit peu à peu Henri en ses brumes. Pour l'entendre encore, si douce, si fervente, il eut le bon réflexe de ne pas bouger un cil.

— Henri... Mon petit... lover. My lover, my sweetheart, parlez-moi, parlez-moi...

Il reçut une larme sur la lèvre.

Lover, lover, il savait au moins que to love signifie aimer. Il savait aussi que cette larme valait tous les baisers du ciel, et se résigna à ouvrir un œil ; elle lui fit un sourire à le ressusciter des morts, et le ressuscita. « Où qu'il est? » voulut-il crier en brave. Au premier mot, sa mâchoire meurtrie lui arracha un « ouille ouille ouille » moins martial.

Elle effleura sa bouche de sa bouche pour le ranimer plus vite.

Il s'assit sur le tapis, à la fois ravi de cette tendresse et honteux à périr du K.O. qui la provoquait.

— I'm sorry, Pat, articula-t-il.

Toujours à genoux près de lui, elle lui caressa les cheveux :

— Très bon, votre anglais. Il ne faut pas être... sorry. Vous avez été merveilleux.

Il grimaça :

— Ah? Vous trouvez?

— Oui! Il connaît très bien la boxe, Peter.

— J'ai vu ça. J'allais l'avoir, vous savez, comme le Noir. Je n'en ai pas eu le temps.

Elle le consolait, émue :

— On ne peut pas toujours gagner, Peter, pas toujours gagner. En Angleterre, je le ferai boxer!

Il eut un cri de jalousie qui enchanta Pat :

— Par qui?

— Par un ami.

— Quel ami?

— Je ne sais pas, Henri. Je dis n'importe quoi.

Et, pour le calmer, elle dut lui redonner un peu moins furtivement ses lèvres.

Il se mit debout, vacilla sur ses jambes en un déluge d'étoiles toutes fraîches. Elle s'en aperçut, l'allongea maternellement sur le lit et, malgré ses protestations, lui retira ses souliers. Il remercia les anges de lui avoir fait épouser une femme d'ordre : ses chaussettes n'étaient pas trouées. Il ne se méfia pas de lui, ses paupières battirent, et il s'endormit soudain, en deux secondes.

Pat demeura près de lui, longtemps, considérant avec attention ce visage banal d'homme banal. Et cette banalité même, pour elle, rejoignait comme un versant de la grandeur, de la beauté. Car ce quelconque l'aimait depuis une semaine et, depuis une semaine, ne pensait et ne vivait strictement que pour elle. De cela du moins, Pat était sûre, si elle flottait de-ci, de-là, dans ses propres sentiments. Des êtres n'ont été aimés que parce qu'ils aimaient, eux. Ce qui révèle de la qualité. Il ne faut redouter aucun coup, pour aimer. On ne peut vous les rendre, ces coups, que si vous avez risqué, à découvert, que si vous avez dit : « Aimer ? j'en suis capable, et de joie et de souffrance », que si vous avez joué à la loyale avec le feu, avec le diable.

Pat soupira, passa un doigt sur la bouche d'Henri, s'habilla et sortit.

Lorsqu'elle revint, il dormait toujours. Mieux : il ronflait. Elle était « née là où l'on peut entendre les cloches de Bow », née du pavé, et savait très bien siffler entre ses doigts. Il cessa de ronfler, non de dormir.

Elle défit alors sur la table les paquets qu'elle avait rapportés de l'unique épicerie encore ouverte dans le quartier de l'Opéra, disposa les oranges, le poulet froid, les deux yaourts et la bouteille de beaujolais.

Elle faillit marcher sur le bouquet de fleurs qui, au cours de la rixe, avait filé sous un rideau. Troublée par des attentions qu'elle pensait à jamais perdues, elle mit ces pivoines dans un vase. Il était midi.

A une heure, elle s'approcha d'Henri, lui souffla doucement sur la bouche. Longtemps. Tant et si bien qu'il s'éveilla et bondit :

— J'ai dormi! Pat! J'ai dormi?

— Oui, Henri.

Il faillit se taper sur le crâne, se rappela à temps qu'un autre s'en était chargé :

— Il ne fallait pas me laisser dormir! C'est de la folie! Quelle heure est-il?

— Une heure.

Il gémit, accablé :

— Pat! Pat! Ce n'est pas chic! J'ai perdu deux heures, deux heures de vous...

Il ne comprit jamais combien, au contraire, il avait pu gagner à dormir ainsi sous ses yeux, faible et abandonné. Si les femmes ont des bontés pour les vainqueurs, elles gardent leur tendresse pour les vaincus.

Il sauta sur le plancher :

— Allons déjeuner! Vite! Tout va être fermé!

Elle s'écarta de la table.

— Nous déjeunons ici, si vous voulez.

Il eut un grand sourire d'enfant qui le rendit presque aussi séduisant qu'un parachutiste. Pour celles qui aiment le parachutiste, bien entendu.

— C'est vrai, Pat?

Il passa dans la salle de bains pour se laver les mains et la figure, et aussi parce qu'il était pris d'une envie bête, absurde, idiote, de pleurer. Il avait une drôle de tête avec ce nez rouge et ce menton vaguement indigo.

Ils mangèrent avec les doigts. Henri avait un couteau sur lui, comme bien des pêcheurs, et put déboucher la bouteille de vin. Le vin, Pat était adorable, et riait, riait, quand elle en avait deux verres en valse dans la cervelle. Elle fixa, à un certain moment, Henri dans les yeux, cessa de rire et murmura :

— Je voudrais voir vos peintures, Henri.

Il cessa, lui, de respirer :

— Quand vous voudrez, Pat...

— Ce soir.

— Ce soir?... Si vous voulez...

Elle s'empressa de parler d'autre chose mais, pour la première fois, il ne l'écoutait plus.

Il entendait tomber la robe rouge qu'elle portait aujourd'hui, la robe de leur rencontre. Tomber pour lui. Tomber chez lui. Tomber, lui tendre enfin tout ce qui l'assaillait la nuit et n'osait plus le visiter dès que venait le jour.

— Buvez, vous ne buvez pas.

— Non, Pat... Oui, Pat!

Bête comme un homme, quand ils eurent fini leur repas de fiançailles, il essaya de la prendre dans ses bras.

Elle se dégagea, ne dit rien, le regarda de ses yeux de reproche, des yeux qui signifiaient si bien : « Ne gâche pas tout cela. Attends le soir. Il finira par venir », qu'il en rapetissa encore de honte.

— Où allons-nous, cet après-midi? fit-elle, comprenant qu'il ne fallait plus, pour lui, demeurer davantage dans cette chambre qui sentait bon, par trop bon la citronnelle.

Il n'hésita guère :

— Je voudrais passer avec vous sur le quai de la Mégisserie.

— Où est quai de la Mégisserie?

— C'est là que je vous ai rencontrée.

— Il y a une semaine?

— Une semaine aujourd'hui, oui.

— Nous passerons, Henri.

La main dans la main, sans se presser, sans se consulter, ils refirent à l'envers le chemin qui, le samedi précédent, les avait menés de la Mégisserie à l'hôtel Molière. Ils avaient entre-temps parcouru un autre chemin, plus malaisé, parsemé de cent gouffres à éviter. Point n'est beoin d'un tour du monde ou de Venise pour un voyage de noces. Ils firent le leur sur le territoire de cinq ou six arrondissements de Paris.

Au Carrousel, il l'embrassa.

Devant le 22 de la rue de Beaune, elle l'embrassa.

Il l'embrassa encore à Saint-Germain-des-Prés, à l'endroit où il avait triomphé d'un Goliath de goudron qui d'ailleurs ne s'y trouvait plus.

Elle l'embrassa encore dans les jardins du Luxembourg, où font les cent pas depuis des siècles les amours de Paris. Ils revirent le Panthéon, où n'avaient pas encore été transférées les cendres de l'empereur. Prirent le thé à une terrasse du Boul' Mich'. Ce 15 août, le soleil se couchait à 19 h. 5. Le temps qui, auprès d'elle s'écoulait si vite à l'accoutumée, passait à présent avec d'horripilantes lenteurs de café-filtre. Henri maîtrisait à grand-peine une impatience incompatible avec l'état de gentleman. L'incertitude ôtée, ce tout premier charme de l'aventure sentimentale, il se hâtait vers le second, l'instant d'angoisse et de soleil où se fait chair le verbe. Il se hâtait, mais les aiguilles des pendules ne le suivaient pas dans son empressement. Car les aiguilles, tout comme les pendules, appartiennent au genre féminin.

Boulevard du Palais, le jour enfin perdit de son éclat.

Quai de la Mégisserie, ils s'embrassèrent à la place même où la plus jolie des Anglaises in the world avait abordé le plus anonyme des Français moyens. La Seine n'avait pas bougé depuis ce soir-là. D'ailleurs elle n'avait pas bougé depuis le « plouf » de Buridan clos dans son sac, amours mortes, et coulait toujours, autres amours mortes, sous le pont Mirabeau.

Un soleil anarchiste enflammait enfin le Palais de Justice, puis se radoucissait pour conseiller d'aller se coucher aux moineaux du Vert-Galant.

Pat et Henri laissèrent derrière eux cette admirable image d'un Paris qu'il ne faut surtout pas rendre responsable de l'invention de la carte postale en couleur.

Par la rue du Pont-Neuf, ils entrèrent dans le marché aux fleurs des Halles. Les marchands et les marchandes du lieu n'avaient pas la grâce de ce qu'ils vendaient. Plus rapaces que tout le carreau du Temple et plus mal embouchés que de vieilles buralistes, ils avaient tôt fait de traiter de pignoufs ou, pis, d'économiquement faibles, les quidams hésitant sur des prix qui touchaient presque à celui du bifteck. Les fleurs, en ces mains-là, eussent dû cent fois se faner. Mais les fleurs n'ont point d'amour-propre, que l'on achète comme des filles.

Henri en voulut beaucoup, pour en joncher la

chambre. Tant pis, demain, il emprunterait quelques billets à Gogaîlle!

Il chargea ses deux bras et ceux de Pat de giroflées, de lis, de roses, de belles-de-nuit, de capucines.

Ce fut au creux de ce buisson d'odeurs qu'ils allèrent jusqu'au passage.

Tout au fond de lui, Henri ressentait les inquiétudes qui se mêlent à la joie de prendre une femme. Il nourrissait une autre crainte, infiniment moins noble, celle de tomber sur la mère Pampine posée sur son paillasson et reluisante comme une pocharde noyée depuis quinze jours. Il respira. La mère Pampine avait déserté sa loge, en ce 15 août, pour aller rendre visite à sa cousine Stéphanie, concierge dans le 14e.

Ce fut un grand moment pour Plantin quand il vit Pat dans cet escalier. Pat trop blonde en son nuage de fleurs comme une fée de Perrault ; quand il la fit entrer après un tour de clef dans l'appartement conjugal nettoyé avec soin chaque jour depuis qu'il attendait ce jour.

Elle était sans doute troublée mais, britannique avant tout, très maîtresse d'elle-même. Elle découvrit cet « intérieur typiquement français » avec curiosité, souriante, sans prendre garde en apparence à la nervosité d'Henri.

Il jeta les fleurs dans la chambre, sur le lit, sur tous les meubles, tandis que Pat intéressée admirait une à une toutes les toiles de Martin Rolland.

— Vous avez du talent, apprécia-t-elle.

— A quoi le voyez-vous ? Vous m'avez dit que vous ne connaissiez rien à la peinture.

— C'est vrai. Mais vous avez de la personnalité. Je le savais. Vous avez du talent, je le vois ici (elle se toucha le cœur). Le talent, ce n'est pas la tête. Henri, je dis des... des?...

— Des bêtises?

— Oui, des bêtises?

— Non.

Elle posa son sac sur la commode, à l'endroit même où Simone posait toujours le sien. Elle regarda encore les toiles, et Plantin se crut obligé d'en parler, n'importe comment :

— Celle-ci est tout en dominantes (un mot de Martin Rolland) de rouge. Le rouge, pour moi, c'est l'amour. Rouge des lèvres. Rouge du sang.

— Rouge de ma robe?

— Oui, Pat, de votre robe.

Elle gagna la fenêtre ouverte. Le soir effaçait les toits. Les automobiles ne passaient plus. Ou si peu. Une par-ci, par-là, à cette heure où toutes se trouvaient dans le moindre sentier du pays, entourées de moustiques et de tables pliantes de camping.

Il se plaça derrière elle, murmura :

— Je suis bien, là. Je n'ai pas de voisins en face.

Ses mains tremblantes lui prirent les hanches. Elle ne bougea pas.

Éperdu, rejetant les recommandations du vieux Gogaille, il chuchota, enivré par cette douceur d'août et cette citronnelle si proche :

— Patricia... Je vous aime...

Le mot le terrorisa. Elle eut un soupir :

— Comment avez-vous dit? Je n'ai pas compris.

— Je... vous aime.

— Je ne comprends pas.

— Pat!

— Je vous assoure.

— Je vous aime! I love you, quoi! Je vous aime! C'est français, non? Je vous aime!

Elle se retourna, fut tout contre lui, grave, touchante :

— Il ne faut pas, Henri. Je pars dans quinze jours. Vous serez trop triste, si... si...

— Oui, je vous aime! affirma-t-il avec force.

Elle secoua la tête :

— Vous serez malheureux, Henri. Pas ce soir. Pas cette nuit. Mais quand Pat sera en Angleterre. Il ne faut pas aimer Pat.

Il eut une moue fataliste :

— Je n'ai pas choisi. Je vous aimais déjà devant le Panthéon.

— Vous ne m'avez pas dit?

— J'avais peur.

— Et maintenant?

— Oh! maintenant, je suis mort de peur.

— Il ne faut pas...

Et, soudain, l'attrapa par le cou pour l'embrasser avec une sorte de fureur sacrée, une rage de tout chasser d'elle, et de ses souvenirs, et de ses meurtrissures.

— I want, Henri, to live. I want...

Il n'avait pas la sûreté, le doigté d'un séducteur spécialisé dans les boutons, les agrafes ou les fermetures Éclair. Il parvint néanmoins à échancrer le dos de la robe, à recouvrir de ses mains brûlantes la peau nue de la jeune femme.

— Maintenant, souffla-t-elle en fermant ses yeux gris.

Il la souleva dans ses bras, l'allongea sur le lit et les fleurs.

La robe rouge de Pat et la chemise d'Henri s'enlacèrent sur le tapis, avant eux.

Ils furent nus, sans se voir, si près l'un de l'autre, retardèrent encore, serrés, enlacés, bouches mêlées, l'instant où tournent corps, murs, têtes, étoiles.

— Je t'aime, Pat.

— To live, Henri! To live!

Ils eurent une plainte de chats et le front de Patricia vint buter comme une pierre chaude au plus creux de l'épaule de l'homme.

Le soir s'était fait nuit. Dieu s'était fait homme. Et femme. Un drap sur leurs corps, ils ne disaient plus rien, Henri écrasé de bonheur, Pat étourdie de bien-être et s'étirant. Elle se pencha sur lui, et il devina son sourire à l'éclat de ses dents :

— Petit Français! Darling! Nous sommes terribles!

— Je t'aime, Patricia.

— Non! Pas je t'aime. Je vous aime!

Elle saisissait toujours aussi mal les subtilités d'un tutoiement qui lui bouleversait toute l'ordonnance de son français. Il lui caressa, lui embrassa la poitrine, sous le drap.

— Vous ne m'aimez pas, Patricia, fit-il.

— Ne me demandez pas. Je ne sais pas.

— Moi, je vous aime.

— Comment savez-vous?

Il avait mieux à faire, à son sens, les lèvres sur ce corps tant espéré, qu'à expliquer pourquoi il l'aimait. Il ne répondit pas et Pat retint son souffle, ce souffle qu'il faudrait bien qu'elle exhale tout à l'heure en un roucoulement rauque de pigeon blanc.

Elle avait allumé deux blondes, lui en offrit une.

A la lueur de la lampe de chevet, il la contemplait, nue, à lui quand il en aurait le désir, incapable physiquement d'en détacher son regard. Comme c'était simple, l'amour : il suffisait d'aimer. Simple comme l'amour, comme « bonjour Patricia », car c'est déjà le jour, et vous dormez, paupières battues, paupières de lilas, et je vous vois dormir, et c'est encore faire l'amour avec vous.

Ce n'était que le tout petit jour, et ce n'était pas l'alouette, ce n'était que le pigeon blanc tombé comme un ange sur la barre d'appui. Pat ouvrit les yeux, aperçut le pigeon et lui tendit les bras :

— Come in, little pigeon, little French pigeon...

Le pigeon la considéra d'un œil rond et réprobateur, ne reconnaissant pas là la plutôt rondouillarde Simone. Cette jeune Anglaise trop déshabillée, trop jolie, lui paraissait des plus suspectes.

— Vous n'avez pas dormi, Henri.

— Non.

— Moi si. Je suis fatiguée, très... You're Lady Chatterley's lover, you know. *Vous êtes l'amant de Lady Chatterley, vous savez.* Vous n'avez pas dormi, vrai?

— Je n'ai pas le temps.

— Comment?

— J'aurai bien le temps de dormir quand vous serez à Londres.

— Je ne suis pas encore. Nous avons quinze jours. Quinze nuits.

— Cela vous paraît suffisant à vous, deux semaines?

Elle eut une moue :

— Non... Mais je rentre pour le travail. Votre femme rentre.

— Bien sûr. Et tout rentre dans l'ordre.

Il lui serra brusquement le poignet :

— Pat! J'irai à Londres. Je suis en vacances en septembre. J'irai à Londres.

Ce projet fabuleux l'emballait. Il sortirait de ses frontières pour la première fois et ce pour la rejoindre, elle. Pat s'assombrit :

— Il ne faut pas, Henri.

Il se renfrogna :

— Avec vous, il ne faut jamais. Il ne faut pas vous aimer, il ne faut pas venir à Londres, il ne faut pas...

Elle lui mit la main sur la bouche pour l'empêcher de préciser tout ce qu'il n'avait pas fallu.

Elle le calma par ce « t-chéri » qui, dit avec sa voix et son accent, le faisait toujours fondre de tendresse.

— T-chéri... je présente des robes dans l'Angleterre et dans l'Irlande, en septembre et octobre. Vous ne pouvez pas. Soyez gentil. Je suis là.

Un pli de détresse vieillit le visage d'Henri. Il

ne la reverrait jamais. Elle passerait dans sa vie comme la foudre dans la vigne. Il le savait pourtant depuis le premier jour, mais il n'y avait pas eu entre eux cet astre éclaté, ce monde ouvert tel un fruit.

— Je suis là, Henri. Près de vous.

Elle lui serra la tête, et lui mordit la bouche, et le ramena de toutes ses forces contre elle. Ils s'étreignirent si violemment que le pigeon blanc s'envola une fois de plus, effaré.

La mère Pampine, qui l'honorait d'une gueule de boxer enragé depuis qu'il avait osé lui affirmer qu'il l'embrenait — et se promettait de se plaindre au gérant, ainsi que de le rattraper au tournant — la mère Pampine lui jeta une lettre de Simone qu'il empocha sans la lire.

Il remonta chez lui dès qu'il le put avec des biscottes, un citron, un litre de lait et un paquet de thé.

Pat se promenait dans le logement, la gabardine de Plantin sur les épaules en guise de robe de chambre. La maison vivait autour d'eux. Mme Snif, quelque part, battait ses tapis. M. Poule plantait stupidement des clous dans ses murs, des quarts d'heure entiers sans s'arrêter, pour embêter un univers qui n'était pas assez soucieux de M. Poule. Pat et Henri étaient seuls et cachés. Nul ne savait qu'un amour venait d'emménager en cet immeuble.

Plantin entra dans la cuisine, et Pat l'y rejoignit.

— Je ne sais pas faire le thé, s'excusa-t-il.

— Moi, je sais. Laissez.

Elle emplit une casserole d'eau, craqua une allumette, plus désirable encore dans cette vieille gabardine qui dévoilait ses longues jambes au duvet blond, oui, plus désirable, plus « terrible » qu'en robe rouge ou bleue.

Il éteignit l'allumette, referma le robinet du gaz.

— Why! s'écria Pat.

— Il n'y a pas de « why » qui tienne. Ce n'est pas de ma faute si tu es comme ça.

Il lui tenait les mains, la poussait vers la table, l'allongeait sur la toile cirée à petits carreaux.

Elle ne ferma pas les yeux et il la suivit toute, tout entière, longtemps, longtemps, dans le vertige de ses yeux gris.

CHAPITRE VIII

Sur le coup des sept heures de ce matin-là, la mère
Pampine était posée sur son paillasson comme un
w.-c. de campagne à côté d'une ferme.

Elle vit passer Pat, qui ne la vit pas. On ne venait
pas d'Angleterre pour voir la mère Pampine. Une
minute plus tard, apparut Plantin. Pour sauvegarder
les apparences, ils ne sortaient pas ensemble de l'immeuble. Avec son bon sourire de tête de mort, la
concierge interpella le locataire coupable d'adultère :

— Et alors, monsieur Henri ? On ne s'ennuie pas !
Voilà quatre nuits que vous menez le sabbat à faire
des horreurs avec une rien du tout qu'est sûrement
espionne vu qu'elle parle en allemand ou un truc
comme ça, et que ce pauvre monsieur Poule arrive
plus à fermer l'œil !

Henri qui, depuis toujours, fuyait les prunelles de
pieuvre de la vieille n'hésita pas à la regarder en
face :

— Tout ce que vous pouvez me dire, madame
Pampine, dites-vous surtout bien que je m'en fous !

Et il hâta le pas pour rejoindre Pat tandis que,

dans son dos, éclatait le tourteau en morceaux pas très frais :

— Eh bien, tant mieux, espèce de malpoli, tant mieux! On verra si votre femme s'en fout aussi!

Depuis quatre jours, il vivait sur une planète où n'avaient plus cours la terre, sa femme, ses enfants, son passé. Il buvait l'air que boivent, tout là-haut, les canards sauvages. Il ne touchait plus le sol de la semelle de ses souliers. La drogue de la joie lui donnait les yeux vagues, le maintenait à l'état de veille. Il était ivre de SA bouche, de SON corps, de SON odeur, de SA voix. Il la rattrapa, prit son bras comme une bouée.

Il n'avait hélas! pu prolonger son sursis. « Vous pouvez reprendre mercredi », avait proféré le docteur. Tout à l'heure, le vendeur Henri Plantin se retrouverait sous la blouse des condamnés. Pat pensait qu'il s'en allait donner des leçons de dessin dans un lycée quelconque. Elle n'avait pas eu le cœur de lui conseiller de les remettre à plus tard. La face décomposée de son « sweetheart » lui prouvait assez qu'il ne s'y rendait pas pour son plaisir.

Il serait à dix heures à l'hôtel. Ils vivraient à l'hôtel, d'ailleurs, cette nuit-là, Henri le désirait. La surveillance des Poule, des Snif, des Flouque et des Pampine l'excédait, salissait son amour comme le jus de chique pollue les fleurs.

Ainsi, de son plein gré, dans un instant, il la quitterait, la laisserait là, dans la rue, alors qu'elle s'en allait dans douze jours.

Il se méprisait d'ainsi gâcher l'irremplaçable et de perdre sa vie pour soi-disant la gagner.

— Ne m'en veuillez pas, je vous en supplie, murmura-t-il place des Victoires, je suis forcé.

— Je ne vous veux pas.

— On dit : je ne vous en veux pas.

— C'est pareil, non?

— Pas du tout. Je vous aime, Pat. Ah! dites-moi une fois, une seule fois que vous m'aimez.

— C'est inutile, Henri. Je ne peux pas dire ces choses...

Comme elle le voyait au bord des larmes, elle l'attira contre elle :

— C'est peut-être mieux, ne rien dire. Nous avons tout de l'amour. C'est mieux que l'amour. Nous vivons terrible. Embrassez, Henri. A ce soir. Vite. Très vite...

Il l'embrassa à n'en plus finir. Plus un bruit n'atteignait ses oreilles. Plus un moteur. Plus rien. Il l'embrassait.

— Quelle époque! fit un membre d'association de parents d'élèves.

A perdre le souffle.

— C'est dégoûtant! fit quelqu'un d'une ligue de téléspectateurs catholiques.

A perdre l'âme.

— Des animaux, des animaux! fit un vieux confédéré d'on ne savait pas quoi, pas même lui.

Elle se dégagea, très doucement :

— Allez.

— Vous m'aimez? Dites-le, et je pourrai partir à peu près heureux.

Elle baissa les paupières, chagrinée par ces insistances d'enfant.

— A ce soir, Henri.

— Oui... A ce soir...

Il s'arracha d'elle, courut vingt mètres, se retourna pour lui crier « Je t'aime! », se retourna encore au coin de la rue avant de disparaître, déchiré.

Il ne trouvait certes pas admirable une volonté qui l'enlevait du paradis pour le coller à un rayon de magasin afin d'y débiter des épuisettes et des leurres pour lancer léger. Lamentable. Crasseux. Pitoyable. Les automobilistes et les concierges ne s'y trompaient pas, qui le traitaient depuis toujours plus bas que terre. Il vendait, lui, Plantin, son ciel pour encore moins que trente deniers.

A la Samar il enfila sa blouse avec l'enthousiasme d'un Ruy Blas endossant sa livrée et demeura prostré dans un coin, absent et idiot.

Elle marchait, aussi blonde, aussi grande, aussi svelte que nue dans la pièce, caressée par ses mains à lui ou par un éclair de soleil jailli aux fentes des rideaux. Elle offrait sa poitrine haute à ses lèvres. Elle s'étirait, et il précipitait ses lèvres sur elle. Elle se cambrait, se cabrait, se mourait sous ses lèvres et chantait sous ses lèvres. Elle lui portait le thé et lui donnait ses lèvres gonflées de coups de dents. Ses lèvres. SES LÈVRES. « Mais certainement, monsieur, quelle sorte de bouches désirez-vous? Nous avons de très jolies bouches *made in England*. De la bouche très rouge qui vous dit à l'oreille : « T-chéri... » ou « I want to live. » De la bouche de Londres toute mouillée encore de pluie britannique... »

— Monsieur, s'il vous plaît?

Il fit une chute de douze étages pour entrevoir

devant lui un client qu'ahurissait fort ce vendeur
égaré dans des brumes épaisses. Plantin sursauta.
Le client en fit autant.

— Quoi?

— J'aurais voulu... un moulinet. Un moulinet
simple.

Plantin ricana :

— Un moulinet simple? Rien n'est simple, monsieur, ni les femmes, ni la vie, ni l'amour, ni les
hommes et ni les moulinets.

— Mais... je viens d'en voir... là.

— Vous faites erreur. Votre moulinet simple est
compliqué. Plus compliqué encore que l'âme humaine.

— Que... l'âme humaine? bredouilla l'autre.

— Si vous tenez vraiment à la simplicité, allez voir
au Printemps ou au Bazar de l'Hôtel de Ville.

— J'y vais, j'y vais, chevrota le client en s'esqui-
vant sur la pointe des pieds.

Mme Buche, sans avoir rien entendu, fut malgré
tout fort intriguée par le comportement bizarre de
Plantin qui, jusqu'à midi, erra comme un spectre de
château écossais, de vitrine en vitrine, de tiroir en
tiroir.

Il ne déjeuna pas, s'en alla sur les bords de la Seine
pour la voir couler couleur de son ennui. Il n'était
pas avec Pat, Pat était sans lui. C'était aussi absurde
que de n'avoir plus qu'une jambe, brusquement et
sans savoir pourquoi. Il se retournait parfois et frissonnait, écrasé par la masse de la Samar. Il n'y revint
que sur l'ordre impératif de la pendule du Pont-
Neuf et reprit, à l'ombre des cannes à pêche, son

179

rôle passif de figurant tout à fait inintelligent.

Il ne lui restait enfin plus qu'une immense heure à tuer lorsque M. Dumoulin, le chef de rayon, fit une apparition courroucée à l'étage et s'avança vers lui, plus hermétiquement fermé qu'une boîte de choucroute.

— Monsieur Plantin, commença le supérieur, monsieur Plantin, pouvez-vous me dire un peu ce qu'il vous arrive ?

Avec cet instinct sûr de la soumission que donnent vingt ans de crainte, Plantin rectifia la position :

— Rien, monsieur Dumoulin. Rien. Tout va très bien.

— Madame la marquise, sans doute ? Eh bien, non, monsieur Plantin ! Ça ne va pas du tout. Du tout. Du tout.

— Je ne vois pas, monsieur Dumoulin...

— Vous ne voyez pas ! Ce matin, vous avez conseillé à un client d'aller acheter au Bazar de l'Hôtel de Ville un moulinet simple alors que nous en possédons d'excellents modèles à tous les prix !

Un peu interloqué par l'œil crétin de son subordonné, M. Dumoulin poursuivit néanmoins :

— Cet après-midi, vous avez appelé Patricia une pauvre femme qui venait acheter de la teinture à asticots.

— Patricia...

— Patricia, oui. C'est pour le moins familier, vous en conviendrez. Et inattendu, puisqu'elle se prénommait Juliette ! Qu'avez-vous, monsieur Plantin ? Êtes-vous fatigué par votre blessure à la main ? Je pensais que vous étiez tout à fait guéri. Les sulfamides, peut-être? Je vous parle en camarade.

— Du côté de la main, ça va.

— Alors, monsieur Plantin! Reprenez-vous! Le
1er septembre, vous êtes en vacances. Vous n'avez
plus que... une seconde... huit jours ouvrables, hors
les dimanches et lundi, à rester à Paris. C'est tout
près le 1er septembre, tout près!

C'était là farfouiller le cœur d'Henri à l'aide d'une
foëne à anguilles (en fer forgé vernis noir, prix 5,55 F).
Il releva la tête aux deux sens du mot :

— Justement. Je vous demande un congé jusqu'au 1er.

Cette fois, ce fut à l'œil de M. Dumoulin de ne
plus tourner rond dans son orbite :

— Un congé? Avant les vacances?

— Vous me retirerez huit jours de mes vacances,
voilà tout.

— Mais vous plaisantez, Plantin! Bouvreuil n'est
pas là!

— Vous m'avez bien remplacé pendant mon accident. Vous me remplacerez encore.

— C'est impossible! Absolument impossible! Plantin, mon vieux, vous êtes fou! Je ne vous reconnais
plus.

Henri eut un sourire amer :

— Vous n'êtes pas le seul, monsieur Dumoulin.
Si vous croyez que je me reconnais, moi...

M. Dumoulin, solennel, ridicule, lui posa une
main paternelle sur l'épaule :

— Plantin, je vous écoute. Vous pouvez tout me
raconter.

Henri eut une moue plutôt sceptique :

— Ça m'étonnerait.

Le chef de rayon eut un bref haut-le-corps devant cette froide insolence :

— Comment! Mais tout le monde a ses petits problèmes! Je peux tous les entendre, allez! Je suis un homme.

Il se vantait. Henri le fixa, incrédule, puis lâcha tout à trac :

— Je suis amoureux.

Ce bon M. Dumoulin éclata de rire :

— Il fallait le dire tout de suite! Ce n'est que ça!

La mine pathétique du vendeur Plantin lui coupa net le rire au ras des lèvres :

— Non, monsieur Dumoulin. Ce n'est pas « que ça ». Je vous interdis de rire.

— Plantin!

— Oui, je vous l'interdis! Et formellement. Si vous ne m'accordez pas ce congé, je le prends. J'ai déjà perdu cette journée, je m'en vais, là, tenez, tout de suite.

— Mais réfléchissez, nom d'un pétard! Vous allez perdre votre place, vos vingt ans de maison...

— J'aime mieux perdre ma place que... que... enfin, ça ne vous regarde pas. J'irai travailler au Bon Marché, au Louvre, je m'en fous. Il n'y a pas deux vendeurs comme moi dans Paris, question pêche.

— Ne vous fâchez pas, voyons!

— Je ne me fâche pas, mais...

Il devint immédiatement livide.

— Mais quoi?

Les yeux de Plantin demeuraient exorbités, braqués vers la sortie de l'escalier mécanique.

Comme surgi dans la salle par l'effet d'une démoniaque machinerie d'Opéra, Peter Bike venait d'apparaître à Plantin. Peter l'avait également vu et restait bouche bée, stupéfait de reconnaître sous la blouse le « peintre », le flirt de Pat.

M. Dumoulin ne comprenait rien à cette scène muette, regardait tour à tour l'Anglais et Henri, Henri et l'Anglais. Henri ne pouvait parler. D'un doigt, il fit à Peter un signe suppliant. Et cette prière se traduisait en toutes langues par : « Ne lui dites rien! Ne lui dites rien! » Peter, venu là pour acheter quelques mouches artificielles avant son départ pour la Norvège, Peter, sidéré, eut le réflexe de s'enfuir. Avisant l'escalier ordinaire, non loin du mécanique, il s'y précipita et le descendit à toutes jambes.

Le froid de la mort glaça le front d'Henri. Le pauvre Plantin tituba et M. Dumoulin, affolé, dut le soutenir d'une poigne vigoureuse.

— Plantin! Plantin! Vous êtes malade? Rentrez chez vous, je l'accorde, votre congé, nous nous arrangerons plus tard. Rentrez! C'est un ordre! Pensez à l'impression fâcheuse sur la clientèle! Reprenez-vous!

Il dut conduire lui-même cette ombre, cette loque de vendeur incapable de retrouver les vestiaires.

Peter dirait tout à Pat. Trop content. « Un vendeur! Non. Si, je l'ai vu. Vous pouvez le voir aussi bien que moi, derrière ses cannes à pêche. Il vous a bien eue. Il est joli, votre grand peintre! » Elle blanchirait de rage.

Henri Plantin rentra chez lui, ferma les portes et

les fenêtres, ouvrit le robinet du gaz et s'étendit sur son lit, dont les deux oreillers sentaient la citronnelle. Car les héros romantiques jamais ne survivent au déshonneur.

C'est fort embêté, dans le fond, que Peter se retrouva dans la rue de Rivoli. Très bien élevé — sauf avec les barmaids, mais quelle cuirasse, quel smoking n'ont pas leur défaut? — il avait instantanément pardonné à Plantin la raclée qu'il avait été mis dans l'obligation de lui infliger. Ce sont là des incidences des rapports entre hommes dès qu'ils se mêlent d'en vouloir d'autres avec les femmes.

Peter se doutait de la réaction que pouvait provoquer sur Plantin sa venue innocente à la Samar. Son signe désespéré de ne rien révéler à Pat confirmait à Peter la gravité de l'affaire.

Scénariste, il mit professionnellement et posément Plantin dans la peau d'un personnage, l'y laissa mijoter, et réfléchit : « Immédiatement, le personnage pense qu'il va être dénoncé, qu'il n'a pas de grâce à attendre d'un homme qui, par sa faute, a été chassé par l'héroïne. L'homme va se venger, le bafouer. L'héroïne, ulcérée, ne reverra plus le personnage qui, vendeur et non peintre, a failli à son personnage. Le vendeur, s'il est réellement amoureux — et il l'est à en juger par son désarroi quand il se voit démasqué — de l'héroïne n'a plus qu'une échappatoire logique et tragique : la mort. »

Cette ultime solution s'ancra ferme dans l'esprit troublé de Peter Bike qui bondit dans un taxi et lui donna tant bien que mal l'adresse de l'hôtel Molière.

Enchaîné sur le robinet du gaz, chez Henri Plantin. Le sifflement paraît valable à l'ingénieur du son.

Enchaîné sur l'intérieur de la chambre 26 de l'hôtel Molière.

Image bonheur Patricia. Au choix : 1) A sa fenêtre, elle sourit conventionnellement à Paris et à la vie. 2) Pointe d'érotisme, version pour l'Amérique Latine : en peignoir ouvert à volonté, un talon sur une chaise, elle revernit ses ongles de pied en sifflotant un air de folklore britannique. 3) Plus sentimental. Elle prépare avec amour le « tea for two » pour l'arrivée d'Henri.

Coupe sur le taxi. Embouteillage. Peter Bike se demande quelle fable raconter à Pat. Pas très visuel, mais le compteur du taxi est là, un peu là pour nous indiquer l'état d'urgence.

Car, là-bas, toujours le « suspense » du sifflement du gaz...

Peter sauta du taxi, ordonna au portier :

— Tell the taxi to wait! Is miss Greaves here? *Dites au taxi de m'attendre. Mlle Greaves est ici ?*

— Yes, Sir!

Grimpa l'escalier au galop, ouvrit à la volée la porte de la chambre 26.

Pat qui se lavait les dents, faillit en avaler sa brosse.

— Vite, Pat! Vite. Courez chez votre peintre! Il va se suicider si ce n'est pas déjà fait! Un taxi est en bas, pour vous!

Pat se rinça la bouche avant de grommeler, hostile :

— Qu'est-ce que vous me racontez, Peter? Si c'est une plaisanterie, elle est particulièrement idiote et odieuse, et vous pourriez frapper avant d'entrer.

— Mais Pat, Pat! Dépêchez-vous! C'est la vie d'un

homme qui est sans doute en jeu, même si vous ne l'aimez pas, et je sais très bien que vous ne l'aimez pas. Je l'ai rencontré, votre peintre, et il m'a dit...

— Comment vous l'aurait-il dit, d'abord?

— Il s'est fait comprendre! Il m'a serré la main pour signifier qu'il ne m'en voulait pas. Ensuite, il a dit : « Pat, Pat. » Il parlait donc de vous, si je ne m'abuse. « Pat, partir, partir. » J'ai encore compris. « Moi... » Il a pris un air sinistre et il a fait « poum! » comme avec un revolver. Et là, j'ai encore compris. Pas vous? Qu'est-ce qu'il vous faut de plus, le cadavre?

Il était si pressant, si sincère, qu'elle le crut enfin. Elle lui parut alors bouleversée, davantage même qu'il ne l'eût supposé pour ce qu'il savait d'elle. Elle souffla :

— Et s'il n'est pas chez lui? S'il s'est jeté dans la Seine?

— Allez, allez, ou j'y vais à votre place!

Il la prit par un bras et l'entraîna jusqu'au taxi où elle monta seule.

Elle passa en courant devant la mère Pampine posée sur son paillasson comme une résultante de mal de mer.

— Ça presse! Ça presse! fit l'horrible à l'adresse de Mme Snif qui pointait le chignon dans les parages, c'est Mme Plantin qui va être contente!

— Vous lui direz?

— Oh! je lui dirai pas comme ça. Mais je lui ferai deviner qu'il ne faut pas laisser son homme à Paris quand elle n'y est pas. Tous des cochons. Et l'autre! Vous l'entendez taper, madame Snif?

Pat tambourinait à la porte, et criait :

— Ouvrez, Henri, c'est moi, Pat! Patricia!

La mère Pampine, en bas de l'escalier, commentait à mi-voix pour sa complice.

— Elle s'appelle Pat. C'est pas un nom chrétien, ça.

Par bonheur, le vieil appartement des Plantin était plus vaste que les logements ordinaires, où l'on couche quatre sur le lit et quatre dessous. Le gaz n'avait encore pu envahir toute la chambre, éloignée de la cuisine, et Henri commençait à estimer que la mort était moins pressée que lui. Il aspirait avec délices, mais n'en était qu'au stade de la forte migraine quand retentirent les coups que donnait Pat dans la porte. Quand il reconnut sa voix angoissée, il faillit s'abîmer tout à fait dans un coma libérateur. Un embryon de pensée l'empêcha pourtant de sombrer : cette voix n'était pas celle d'une femme en colère. Mais si Pat ne savait rien, pourquoi venait-elle ici au lieu de l'attendre à l'hôtel?

Quoi qu'il en soit, si elle ne savait rien, il n'avait plus à mourir ce soir, il pouvait remettre sans regret cette formalité à demain, quand elle saurait. Et il voulut vivre avec elle sa dernière nuit. Il tomba du lit tant ses jambes lui manquaient, mais parvint à atteindre la porte, et tira le loquet.

La porte s'ouvrit aussitôt, se referma sur Pat. La jeune femme, sans même s'occuper de lui, se jeta dans la cuisine, tourna le robinet du gaz, poussa les fenêtres dans toutes les pièces. Alors seulement elle serra Plantin dans ses bras et le fit asseoir devant une croisée. Elle était blême et ne savait plus un seul mot de français :

— What have you done, little Frenchie? You're crazy. I hate you. You frightened me terribly, you fool. What a good thing I believe the other one and came! *Qu'avez-vous fait, petit Français? Vous êtes fou. Je vous déteste. Vous m'avez fait une peur épouvantable, petit imbécile. Ah! comme j'ai bien fait de le croire, l'autre, et de venir!*

Il se laissait bercer, caresser par ces paroles incompréhensibles, et respirait, respirait, la tête horriblement lourde et vide. Pat lui posait sur tout le visage ses lèvres fraîches en répétant des « Why? Why? Why? » pleins de détresse. Mourir pour elle. Personne jamais n'avait voulu mourir pour elle. Il est vrai que, pour lui, elle n'était que Pat, pas une barmaid qui servait l'ale et le gin.

Comme les yeux d'Henri perdaient enfin leur vitreux et leur flou artistique, elle put à nouveau s'exprimer en français :

— C'est Peter qui m'a dit...

Il rugit, mais c'est à peine si elle l'entendit :

— Qu'est-ce qu'il vous a dit?...

Elle blottit la nuque d'Henri sur son sein gauche, tout près d'un cœur qui battait plus fort que tous les tambours de la reine :

— Il m'a dit : Je l'ai vu. Il veut tuer lui because vous « partez vous. » Je sais vous m'aimez. Vous capable de ces choses. Je suis venu courante.

Il respira mieux, extraordinairement soulagé :

— On dit « en courant », Pat.

Il n'aurait pas même à mourir demain! Peter était un type merveilleux, un rarissime exemplaire de gentleman. Il chuchota :

— Peter, bon garçon... gentil...

Il fut à retardement honoré, flatté des coups de poing qu'il avait reçus d'un tel monsieur, d'un être aussi chevaleresque.

Pat avoua :

— Oui, c'est un bon garçon.

Elle acheva, rêveuse, pour elle seule : « Je ne m'attendais pas à ça de lui. »

L'odeur du gaz se dissipait, filait dehors à dos de courant d'air. Celle de la citronnelle la remplaçait peu à peu. A la nuit, tout à l'heure, Pat serait nue. Comme hier. Et comme demain.

CHAPITRE IX

Il était du moins délivré de la hantise « Samar ». Il savait qu'il paierait cher cette indépendance, qu'on lui amputerait ses vacances, qu'il ne toucherait pas telle prime, etc. Mais, comme il s'en fichait, il put jouir, s'enivrer de la vie, jouir et s'enivrer de Pat, image parfaite, longue et blonde de la vie majuscule.

Certes l'échafaud du 31 se rapprochait à l'horizon un peu plus chaque jour, mais quoi, Plantin avait la consolation de ne plus perdre une minute de Pat ! Il avait abandonné le passage et vivait à l'hôtel Molière, près d'elle. On avait transféré ce couple étrange dans une chambre plus grande, donc plus chère, ce qui apaisait la stricte moralité des hôteliers.

La veille de son départ, Peter avait tenu à les inviter à dîner, et Henri avait pu lui serrer la main, si fort que l'Anglais, touché, lui avait souhaité tout bas un « good luck » qui alla droit au cœur de Plantin par les vertus de la méthode Assimil.

Henri avait parfois cette mélancolie : Pat ne lui

dirait jamais « Je t'aime ». Et, pour lui, c'était d'une
rigueur toute mathématique : puisqu'elle ne le disait
pas, elle ne l'aimait pas. Il poussait là trop loin ses
droits à l'ignorance. Hormis les cas — rares — de
nymphomanie suraiguë, et ceux — moins rares —
d'intérêt, les femmes ne couchent pas avec les
hommes sans éprouver à tout le moins pour eux un
« petit quelque chose » qui peut aller jusqu'au paro-
xysme de l'amour mais passe par maints degrés,
camaraderie, gentillesse, tendresse, affection, tous
sentiments capables de tiédeur aux yeux d'une
jalousie perspicace. Plantin manquait de cette
perspicacité, pour n'avoir pas assez frôlé de robes.

Celle-ci, mis à part les serments, le comblait assez
pour effacer les milliers d'autres, de printemps
surtout, qui, dans les rues de Paris, l'avaient croisé
depuis toujours, et seulement croisé. Elle était
toutes les femmes, toutes les amours, tous les par-
fums et toutes les douceurs de l'âme, et toutes
celles, poignets, oreilles, chevilles, cuisses, de la
peau.

Comme elle aimait marcher, qu'elle voulait tout
voir de Paris et que ses jolies jambes avaient en
leurs muscles des résistances insoupçonnées de
cheftaine à lunettes, ils partaient le matin au petit
bonheur des rues, droit devant eux.

Grâce au Bois de Vincennes, il connut le charme
de l'avoir à lui sur une moquette d'herbe ainsi qu'à
la campagne. Ils déjeunèrent aux Puces de Saint-
Ouen, à Saint-Cloud, dans un « chinois » près de la
gare de Lyon, dans une crêperie bretonne de la rue
Grégoire-de-Tours, ailleurs encore et n'importe

où, au fil du vent, libres comme ces pigeons de rencontre à qui Pat jetait du riz porte-chance.

Henri ménageait aussi ses arrières pour les temps déjà proches où il lui faudrait bien mâcher le fer des souvenirs, fumer les mégots de ces cigarettes d'exportation. Il lui fallait trouver quelqu'un à qui parler d'elle, *après*. Il le trouva dans les couloirs du métro Châtelet, sous les traits de Gogaîlle. Instant comique que celui où il jeta une pièce dans la sébile de son ami, lui parla sur un ton d'infinie commisération tandis que le mendiant dévisageait une Pat apitoyée, gravait ses traits en sa mémoire en prévision des probables soirées de cafard noir où Plantin grimperait le voir.

A part cet épisode, coupé de son quartier, de ses habitudes, de son travail, de tous ceux qui pouvaient le reconnaître, il vécut dans Paris la vie de tous ces étrangers photographieurs de monuments. A cette différence qu'il ne photographiait, lui, qu'une femme, toujours la même, au point qu'il fit des frais considérables de pellicules.

— Pat, je vous enverrai les photos une par une, longtemps, pour que vous ne puissiez pas m'oublier.

Elle avait promis de lui écrire, chez un M. Gogaîlle, un voisin, un ami sûr, et lui avait donné sa propre adresse, dans le Mile End. Non, elle ne l'oublierait pas. Et cela elle l'affirmait, prête à le jurer sur la Bible. Il dut se contenter de cette assurance qui pouvait être à la rigueur considérée comme une forme de mot d'amour.

L'Angleterre. Il ne pouvait plus regarder cette

île sur une carte sans la parer d'yeux gris, de cheveux trop blonds et de seins si bellement haut perchés. Il ne pourrait plus entendre quelqu'un parler anglais sans sursauter. Il achèterait à Véronique des disques de Pétula Clark pour avoir toujours cet accent dans l'oreille. Il pensait à elle parfois comme si déjà elle n'y était plus. Il se retournait alors vite vers elle. Rassuré. Elle était là encore pour six jours.

Puis quatre.

Puis deux.

Comme à Canaveral, le compte à rebours était commencé. La fusée exploserait au sol.

CHAPITRE X

LE 31 DU MOIS D'AOUT

La nuit blanche d'Henri Plantin fut celle du 30 au 31. Pat lui serait donc ôtée par le train de 16 h 12 à Saint-Lazare. Paris-Londres via Dieppe maritime et ferry-boat.

C'était fini. Elle sommeillait sur son épaule. Cette chaleur sur son épaule ferait ce soir son épaule de glace. Plus jamais cette chaleur sur cette épaule. Cela ne correspondait plus à un départ, mais plus exactement à un deuil. Ce 31 était le jour de la mort de Patricia Greaves. Ceux que l'on ne revoit plus, dussent-ils vivre cent ans, sont plus morts que les morts. On ne peut pas se rendre sur leur tombe. Pat. Il ne la reverrait plus. Avec l'humilité des petites gens, il ne se révoltait pas. Il fallait payer. Il se « saignerait aux quatre veines », mais il paierait ces trois semaines-là. Comme il avait payé son réfrigérateur et sa voiture. S'il avait à pleurer, eh bien, il se cacherait. Il se cachait jadis pour fumer ses premières cigarettes. Il se cacherait si bien que personne, *pas même lui*, ne saurait où.

Elle dormait, de chair et d'os. Elle deviendrait

songe et douleur. Tout ce qu'elle portait en elle, déjà, quai de la Mégisserie. Tout ce qu'il avait accepté. Ce fruit qu'il n'avait pu mordre jusqu'aux pépins, on le lui arrachait de la bouche, c'était justice et justice des hommes.

L'amour doit être bref. D'un tranchant de couteau. Pat prolongée n'était plus Pat. Sa qualité d'éclair la préservait, dès son apparition, d'un possible et digeste confort sentimental. L'amour et l'aventure n'ont pas le chauffage central.

L'amour, ils le firent encore, avant de faire les valises. Pour un dernier adieu. Elle était blonde, anglaise, elle avait les yeux gris, elle a quitté tout ce joli monde à la fleur de l'âge, et regrets éternels.

Habillés, ils étaient assis côte à côte sur le lit, désolés et muets. Elle devait penser avec ennui qu'elle était imbécile d'avoir donné une quelconque importance à ce qui n'aurait dû être qu'un agréable souvenir de vacances, une confidence à une amie : « J'ai connu un petit Français qui ne faisait pas mal du tout l'amour, et qui m'a fait visiter tout Paris. Beau ? Non... mais gentil, charmant. Je crois bien qu'il m'aimait. » Ce n'était pas cela du tout. Elle se demandait si elle n'emportait pas, enfermée dans une valise — mais laquelle ? — une tristesse tenace. Derrière les vitres du bar, comme elle serait morne et sale, la pluie sur Piccadilly et sur Hyde Park Corner. Elle en eut un frisson. Il s'en aperçut avec un plaisir amer, soupira :

— Et voilà, Pat. Vous penserez quelquefois à moi, là-bas ?

— Oui, Henri.

— Je vous remercie. Je vous remercie aussi pour tout ce que vous m'avez donné de vous. Je vous remercie d'être venue.

— Taisez-vous.

Elle se cacha la figure entre ses mains. Il ne fallait pas pleurer, il ne fallait pas. Si elle pleurait, il ne pourrait pas résister, il pleurerait aussi, et elle ne partirait plus. Que demain. Ou après-demain. Et tout serait pire.

Elle lui présenta un visage sans larmes et souriant :

— Henri!

— Pat?

— Il faut que vous croyez, je reviendrai.

Elle le croyait elle-même. Oui, elle reviendrait. Pas pour lui. La pitié n'existe pas. Pour elle.

— Je reviendrai, Henri.

— Why?

— Because I want...

— To live?

— Yes, to live. Je vous le joure, je reviendrai.

Elle était si catégorique qu'il en fut secoué. Était-il possible qu'il pût un jour la revoir, qu'elle pût lui revenir, un jour, de ce Royaume-Uni des ombres?

Cette décision parut l'avoir calmée, replacée dans sa dignité. Elle jouait avec ses doigts, l'œil gris fixé sur un point du mur :

— Je reviendrai l'année prochaine. Mais...

— Mais quoi?

— Mais quoi?

— Votre femme?

Il élimina Simone d'un haussement d'épaules. Simone! Il eut un petit rire odieux. Simone! L'obstacle était d'un saugrenu! Lui qui pouvait sauter deux mètres, on s'effrayait pour lui de la hauteur dérisoire d'un tabouret! Puisque Pat reviendrait! Puisqu'il la croyait presque!

Ils quittèrent la chambre, allèrent déjeuner dans le quartier. Ils ne purent manger qu'une bouchée de leur entrecôte milanaise. Mais ils burent une bouteille de beaujolais comme on buvait dans les tranchées de la gnole à l'éther avant d'aller crever.

Deux heures. Encore deux heures. C'était long. Une sorte de hâte extravagante s'emparait d'eux. L'angoisse des condamnés s'apaise, quand vient l'aurore qui va les guérir de leur vie de terreur. Encore deux heures, ah, le plus tôt sera le mieux! Puisqu'elle reviendra! Oui, je reviendrai! Quand? Au mois d'août. Paris est si beau au mois d'août, au mois doux. J'aurai une autre robe rouge. Une autre robe bleue. Et les mêmes yeux gris. Et le même adorable accent pour murmurer « maintenant... » quand l'homme et la nuit se posent sur moi. Je reviendrai, c'est sûr, je ne puis faire autrement. Vous reviendrez? Oui. Mais j'ai quelques jours à Noël, je puis aller à Londres. Non. Pourquoi? Je serai à Glasgow pour Christmas. Alors, j'irai à Glasgow. Non, il ne faut pas. Why? Il ne faut pas.

Une dernière « cup » en ce salon de thé de l'avenue de l'Opéra. Beaucoup d'automobiles. Rentrée des Parisiens. On se réagglutine. Bouffées d'essence. Pat, mon amour. Twelth lesson. Do you like much sugar in your tea? Give me two pieces, please. Quand vous reviendrez, je saurai l'anglais. Automobiles. Automobiles.

— J'étais à Banyuls comme tous les ans.

— Avez-vous eu du beau temps?

— Je me baignais tous les matins.

Maintenant...

— Il y avait des melons pour trois fois rien, on les jetait sur les routes.

— Vos gosses se sont bien amusés?

— Nous, on va en Corrèze tous les ans.

Maintenant...

Paris a repris sa physionomie... Drôle de gueule!

— Mon mari ramassait les champignons.

— L'air est un peu fatigant, au début...

I want to live!

... mais on s'y fait par la suite.

— Vous avez une mine superbe.

— Tout compris, sauf la boisson, bien entendu.

Nous ne nous verrons plus sur terre. Dit comme cela, ça n'a l'air de rien mais Pat mon écureuil ma noisette ma branche Pat nue en robe d'étoiles Pat pigeon blanc écoute : *nous ne nous verrons plus sur terre.*

— On avait trouvé un coin tranquille, avec de l'eau tout près et des oiseaux comme s'il en pleuvait. Il est arrivé une bande de cons avec des transistors.

— En Alsace, comme tous les ans. A Wesserling. Vous ne connaissez pas Wesserling? C'est là qu'est née Yvonne.

Terrible, Henri, terrible!

Un accident mortel sur l'autoroute du Sud, un! Boum voilà! Du sang! Servez chaud!

— On a mis huit heures pour rentrer.

Rentrée massive des Parisiens. Pare-chocs contre pare-chocs.

— En voilà pour une année.

— Vous vous êtes bien reposés?

— Moi, les vacances, ça me crève plus que le boulot.

— On était trois cents caravanes dans un terrain de camping.

— Vous aviez le droit de sortir?

T-chéri... petit Français...

Paris se remplit. On rentre. Les Hollandais en Hollande. Les Scandinaves en Scandanavie. Patricia Greaves, go home! Je reviendrai l'année prochaine. Ça fait tellement de bien aux enfants. L'année prochaine, oui. Chez les parents, c'est moins cher qu'à l'hôtel. Et on sait ce qu'on mange. Oui, je reviendrai.

— Je reviendrai, Henri, je vous le joure.

— Il faut partir, Patricia.

— Votre thé est froid.

— Vos mains sont froides.

Et l'hôtel Molière.

Et les valises.

Et le taxi.

Et Saint-Lazare.

Saint-Lazare, et sa tragique salle des pas perdus où l'amour donne ses rendez-vous devant un monument aux morts, salle de fantômes, ce fut dans cette gare que s'acheva le cycle d'Henri Plantin, vendeur au rayon Pêche de la Samar devenu autre chose.

Plantin ne croyait pas en Dieu, pas plus qu'en

l'immortalité de l'âme. Mais il connut une vision en accompagnant Pat à son train. Sans admettre que l'âme fût immortelle, il eut cette pensée : ce sont les paroxysmes d'une âme — non son quotidien stupide — qui ont le plus de chances d'être sauvés du néant. Il caressa cet éclair que, peut-être, il demeurait en l'air les palpitations, les sourires, les souffrances des amours, comme une électricité en suspens. Il lui paraissait tout à coup impossible que fussent perdues, de l'âme, l'essentiel, la quintessence, les seuls instants d'égarement où l'être aime un autre être enfin plus que lui-même. Si Pat ne l'aimait pas, ce n'était pas lui le plus à plaindre, mais elle.

Il ne lui communiqua pas cette illumination. Il n'aurait pas su l'exprimer. Il était heureux. Il se disait qu'il ne mourrait pas tout à fait, si cet amour flottait encore, plus tard, sans lui, sans elle, sur ce Paris au mois d'août qui l'avait vu courir et brûler dans les rues.

16 h 6. Les valises étaient dans le compartiment. Six minutes encore. Pat sur le quai tenait les mains d'Henri. Seuls malgré les chariots à bagages, les porteurs et ces gens qui parlaient, qui riaient, qui se bousculaient. Seuls pour encore cinq, puis quatre minutes. Un baiser, horrible de discrétion, alors qu'il faudrait s'étreindre et se confondre en brutes. Elle soufflait, comme pour ne pas l'oublier en chemin :

— Je reviendrai, vous savez, je reviendrai.

Trois minutes.

— Montez, Pat. Il faut.

Leurs mains se séparèrent, se reprirent aussitôt pour un contact encore.

Bouleversée, Pat lui tourna le dos, grimpa les quelques marches et se précipita à la glace baissée de son compartiment. Vu de là-haut, Henri lui parut plus petit, plus little Frenchie que jamais, plus pitoyable, plus émouvant aussi. Ils ne tenaient plus l'un à l'autre que par l'intensité de leurs regards, tentaient d'y faire tenir le plus de promesses possible.

— Je reviendrai! cria Pat, surprise par le son brisé de sa voix.

Des sifflets s'affolaient, pressés de trancher dans le vif de ces deux êtres-là.

Et le train s'ébranla, imperceptible et sournois.

C'est un atroce arrachement que celui des trains, le plus atroce car l'on peut, jusqu'à la dernière seconde, sauter sur le marchepied. On ne saute jamais, mais on le peut toujours. Aux yeux de Pat, Henri, immobile, recula d'un mètre. Puis de deux. Il se mit à marcher, près d'elle, si près d'elle qu'elle eût encore pu lui toucher les cheveux. Il se mit à courir. Elle cria :

— Je reviendrai!

Puis il s'éloigna. Il ne vit plus d'elle que la tache claire de ses cheveux, puis son bras. Il sombra dans la foule, Pat se laissa tomber sur la banquette et, sans souci d'elle ni de ses voisins, éclata en sanglots.

— Faut pas pleurer comme ça, mademoiselle, fit un quelconque salaud.

Plantin passa chez lui enfiler un chandail car il avait trop froid.

Malade, il vomit dans l'évier tripes, bile, boyaux, mais conserva hélas le cœur.

Il eut ensuite un coup d'œil pour le robinet du

gaz. Il ne disait pas non. Il remettrait peut-être ça un jour, si c'était trop difficile.

Mécanique, il reconstitua l'ordonnance habituelle du logement, ramassa toutes les toiles et tout le matériel du peintre et descendit loger cette imposture dans la 2 CV pour la restituer. Ensuite, à 18 h 44, il irait chercher la famille en gare Montparnasse.

Les draps du lit étaient changés, ne sentaient plus la merveilleuse, l'inoubliable, la citronnelle.

La mère Pampine, posée sur son paillasson comme un sac d'engrais, eut un pas en arrière pour se réfugier dans sa loge.

— Il avait des yeux d'assassin, confia-t-elle cinq minu es plus tard à Mᵐᵉ Flouque, j'ai cru qu'il allait me faire un mauvais coup. C'est pas à Passy qu'on verrait ça, si c'est pas malheureux, la boisson...

A son volant, malgré le fracas d'une ville qui retournait à la normale, il profita de son ultime silence personnel. Tout à l'heure, il faudrait parler au peintre qui, bon bougre, ne parlerait peut-être pas beaucoup. Il faudrait surtout accueillir femme et enfants, subir leur verbiage, réintégrer la sale vie quotidienne, s'enfermer en soi comme dans une bière, et n'en plus ressortir.

Il serrait fort son volant pour maîtriser le tremblement de ses mains. Il serait un homme. Dur au mal. Ne rien laisser paraître. Un homme. Oui mais déjà ce qu'il pouvait en avoir marre d'être un homme pour rien! Un homme sans femme. Sa femme, sa vraie, roulait vers Londres. Morte. Car elle ne reviendrait jamais, quelque chose là le lui criait. Des gueules d'anthropopithèques défigurées par la haine

se penchaient vers lui par les vitres baissées des automobiles :

— Fumier!

— Descends!

— Et merde!

— Sale con!

Pat était morte, et la vie remontait en Plantin par
hoquets, avec ses relents de vieux ragoût. Et la crasse.

Pat mon amour aussi vite né que reparti. La chanson *terrible* des amours foutues le camp. Comme ces
amputés d'une main qui souffrent de cette main, il
avait mal à Patricia.

Le pigeon blanc se posa sur la barre d'appui.

A côté, la famille déballait les valises dans un tohu-
bohu d'éboueurs charriant les poubelles.

Plantin tendit une main implorante vers le pigeon
et chuchota, désespéré, avec l'accent :

— Come in, little pigeon, little Frenchie...

Le pigeon roula un œil rond, s'envola et ne revint
jamais plus. Il en avait trop vu. Il était si vieux. Il
s'en alla mourir dans une tour de Notre-Dame.

— Il faut que tu partes dès lundi dans l'Allier,
fit Simone. Tu as une mine, une mine! Tu n'étais
déjà pas gros, mais je suis sûre, à vue de nez, que tu
as maigri de cinq kilos. C'était dans *Marie-Claire*,
il n'y a rien de plus mauvais pour l'organisme que
de passer août à Paris.

Pour avoir une paix relative, il s'était déclaré dé-
primé, « à bout », et Simone s'inquiétait, et cela lui
gâchait sa joie de le retrouver.

Gilbert et Fernand qui procédaient au partage

— de préférence peu équitable — de leurs coquillages, se chamaillaient. Assise près de la fenêtre de la cour, Véronique, les mains sur les genoux, en apparence attentive aux frémissements d'une antenne de télé tout là-haut, s'était détachée des animations de ce monde, indifférente au sort de ses disques, par ses frères éparpillés dans la salle à manger.

Simone toucha Henri au coude et soupira :

— Je te raconterai. Une histoire idiote. Non, ce que ça peut être bête, à cet âge-là! Mais bête! Elle a eu une amourette sur la plage avec un petit imbécile de dix-huit ans. Et, naturellement, « je l'aime, si je ne le vois plus j'en mourrai ». Heureusement, l est de Bordeaux. Ils ne sont pas près de se revoir!

Plantin s'approcha de sa fille et contempla lui aussi l'antenne de télé tout là-haut.

Profitant d'un égaillement du reste de la famille, il fit tout bas, en ayant soin de ne pas accrocher le regard de Véronique :

— Dis-lui de t'écrire. Tous les jours. Chez Gogaîlle. Je le préviendrai.

Et il fila dans la cuisine, suivi par les yeux ahuris de sa fille.

Il était huit heures moins le quart.

Georgina, rue aux Ours, venait de lever un Arabe des plus pustuleux.

Pompidou, soûl, tenait ferme le rebord du comptoir et conversait avec tout un vol de délicieuses coquecigrues qui battaient de l'aile en son crâne. Il n'irait jamais à l'usine, à l'atelier, au bureau, au magasin, jamais. Il ne serait jamais aux Assurances sociales, n'attendrait jamais son litre de la manne des

Allocations familiales. Un soir de hasard, il disparaîtrait comme le pigeon blanc.

Rosenbaum buvait l'anis des retrouvailles avec Civadusse et Bitouillou rentrés dans la journée, le premier, bronzé, du Lavandou, le second, rouge et pelé aux endroits où il n'était pas rouge, des Alpes.

— Quand c'est qu'il barre, Riton?

— Lundi, je crois. Il a l'air crevé.

— Bosser en août à Paris, c'est pas de la tarte. Faut qu'on tape le carton demain, avant qu'il se tire... On a eu un de ces temps, au Lavandou! Y a pas, pour le soleil, y a bien que le Midi!

— Écoute-le! Moi, mon pote, à Briançon, j'ai pas vu la queue d'une goutte de flotte en un mois!

— Je dis pas! Mais sur la côte, pardon, y a pas que le ciel à voir. Y a la fesse.

Bitouillou sécha son verre avec hargne :

— On la connaît, la fesse du Midi. Des bignoles, ou des charcutières avec le nichon en gant de toilette.

Rosenbaum remit sa tournée.

Il était huit heures.

Gogaîlle entra chez les Plantin.

— Il est pas là?

— Il s'est allongé un moment dans la chambre, soupira Simone. Il est bien fatigué. C'est tuant, Paris au mois d'août. Je le reconnais plus. Il dit rien. Il est tout drôle. Heureusement qu'il s'en va lundi. Allez le voir.

Henri avait tiré les rideaux et, les mains sous la nuque, gisait dans une pénombre définitive.

— C'est toi, Gogaîlle?

— Oui, Riquet.

— Tu peux t'asseoir.

Gogaîlle s'assit près de lui sur une chaise.

— Elle est partie? osa-t-il souffler après un long silence.

— Oui.

— C'est con, la vie, quand même...

— Oui, c'est con. Y a pas à se plaindre de ce côté-là.

— Tu crois pas qu'elle reviendra?

— Je te dirai ça l'an prochain.

— Dis, Riquet?

— Ulysse?

— Quand tu t'emmerderas trop, faudra pas garder tout ça pour toi. Faudra monter chez moi un moment. Des fois ça aide.

— Tu es chouette, Ulysse. J'y manquerai pas.

— On boira un coup.

— Tu as raison...

Gogaîlle pensa que demain il jouerait encore le tiercé de Plantin, puisque son copain n'en était pas capable. Il pensa aussi que si lui, Gogaîlle, touchait quelque chose, il irait crier partout que Plantin avait gagné. Plantin s'en foutrait sans doute, mais il n'y a pas de petites consolations.

Il était huit heures et demie quand la famille Plantin passa à table. Henri ne trouva pas plus de saveur à l'entrée — des sardines à l'huile — qu'à un volume de Daniel-Rops.

— Qu'est-ce que c'est, demanda Simone, que ce livre de charabia sur la table de nuit?

— J'ai décidé d'apprendre l'anglais, fit-il sans expression. A la Samar, ça peut m'être utile, avec les touristes.

— M. Dumoulin va être content de toi.

— Oh! oui, sûrement.

Un mot lui hurla aux oreilles, un mot prononcé innocemment par le petit Fernand :

— Un crabe, d'abord, combien que ça a de pattes ? de Pat ? huit Pat, six Pat, ou quatre Pat ?

Plantin pâlit et cria :

— Tais-toi! Tais-toi!

Tous le considérèrent avec gêne. Il avait vraiment besoin de se reposer. Il bredouilla :

— Excusez-moi. Je suis énervé.

Il rencontra le regard de Véronique et y lut une telle affection qu'il en fut tout remué. Il grommela pour masquer son émotion :

— Cette vieille ordure, elle devrait faire un peu plus de bruit, pour ranger ses poubelles!

C'était l'heure vespérale où, selon des rites immuables, la mère Pampine alignait les poubelles comme pour une remise de décorations.

— Tais-toi! s'effara Simone. Elle pourrait t'entendre!

— M'en fous! Elle peut crever!

Il y eut dans la cour, à cette seconde même, un tintamarre inusité. Presque aussitôt, la voix aigre de Mme Flouque jappa :

— Madame Pampine! Madame Pampine!

Plantin se jeta à la fenêtre, imité par toute la famille. Tout l'avant de la mère Pampine trempait dans une poubelle. Ses bras pendouillaient encore le long de la boîte à ordures. M. Flouque surgit, en pantalon et maillot de corps, extirpa la concierge du fâcheux récipient.

La face de la vieille était badigeonnée du rouge vif d'un lot de tomates pourries.

M. Snif accourut à son tour.

Les deux hommes se penchèrent sur le corps.

Éperdu, Henri retenait sa respiration.

Enfin, M. Snif se redressa et dit à l'intention de la vingtaine de têtes curieuses qui se bousculaient à toutes les fenêtres :

— Elle est morte.

— Oh! firent les locataires à l'unisson.

— Crise cardiaque, commenta M. Flouque tout pénétré de son importance. La pauvre femme a eu un arrêt du cœur.

Plantin recula un peu pour que nul ne vît son sourire. Il n'eût pas espéré sourire de sitôt. « Arrêt du cœur. Elle qui n'en avait pas... »

Il abandonna le menu peuple surexcité de la cour à ses commentaires funèbres, regagna sa chambre, et regarda les toits. Tous les chiens du quartier aboyaient pour fêter la mort de leur tourmenteuse. Tous les pigeons — sauf le blanc parti rejoindre Pat dans l'espace et le temps — s'embrassèrent sur leurs perchoirs. Demain, Plantin leur lancerait des graines, des sacs de graines, des kilos de graines. La mère Pampine était morte pour de bon. Après avoir empesté à la verticale, elle ne puerait plus désormais qu'à l'horizontale. Des ondes de joie parcouraient Plantin, qui tenait enfin sa preuve personnelle et par neuf de l'existence de Dieu. Puisque Dieu se décidait sur le tard à exister, Pat reviendrait un jour avec sa robe rouge, ses cheveux blonds, ses beaux yeux gris. Pat reviendrait, et tout en lui n'était plus que chant de triomphe pour saluer ce retour. Ce miracle. Ce bonheur insensé.

Simone, défaite, bredouilla dans son dos :

— La pauvre femme! Quand on est rentrés, tout à l'heure, elle m'avait dit : « Faudra me faire penser demain que j'ai à vous parler. » Je le saurai jamais, ce qu'elle avait à me dire!...

La nuit tombait sur les toits, sur Paris, et la nuit tout à coup tout entière sentait la citronnelle.

— A propos, Simone, dit Plantin, demain matin, au petit déjeuner, je prendrai du thé.

Paris. Février-mars 1964.

DU MÊME AUTEUR

Romans

BANLIEUE SUD-EST, Denoël et Folio.

LA FLEUR ET LA SOURIS, Galilée.

PIGALLE, Oswald.

LE TRIPORTEUR, Denoël et Folio.

LES PAS PERDUS, Denoël *(épuisé)*.

ROUGE À LÈVRES, Denoël.

LA GRANDE CEINTURE, Denoël et Folio.

LES VIEUX DE LA VIEILLE, Denoël et Folio.

UNE POIGNÉE DE MAIN, Denoël *(épuisé)*.

IL ÉTAIT UN PETIT NAVIRE, Denoël *(épuisé)*.

MOZART ASSASSINÉ, Denoël et Folio.

PARIS AU MOIS D'AOÛT, Denoël et Folio, *(prix Interallié 1964)*.

UN IDIOT À PARIS, Denoël et Folio.

CHARLESTON, Denoël *(épuisé)*.

COMMENT FAIS-TU L'AMOUR, CERISE ? Denoël et Folio

AU BEAU RIVAGE, Denoël.

LE BRACONNIER DE DIEU, Denoël et Folio.

ERSATZ, Denoël.

LE BEAUJOLAIS NOUVEAU EST ARRIVÉ, Denoël et Folio.

LA SOUPE AUX CHOUX, Denoël et Folio *(prix R.T.L. Grand Public 1980, prix Rabelais 1980.)*

CARNETS DE JEUNESSE 1.

CARNETS DE JEUNESSE 2.

CARNETS DE JEUNESSE 3.

La trilogie sentimentale

L'AMOUR BAROQUE, Denoël.

Y A-T-IL UN DOCTEUR DANS LA SALLE ? Denoël et Folio.

L'ANGEVINE, Denoël et Folio.

Essais

BRASSENS, Denoël.

LES PIEDS DANS L'EAU *(illustré par Blachon)*, Denoël.

LE VÉLO *(illustré par Blachon)*, Denoël.

Album de photos

LES HALLES, LA FIN DE LA FÊTE, Duculot *(photos de Martin Monestier.)*

Livre pour enfants

BULLE *(illustrations de Mette Ivers)*, Denoël et Folio Junior.

Poésie

CHROMATIQUES, *Poésies 1952-1972*, Mercure de France.

Nouvelle

LES YEUX DANS LES YEUX, Atelier Marcel Jullian

Ouvrage sur l'auteur

SPLENDEUR ET MISÈRES DE RENÉ FALLET,
entretiens et témoignages, de Jean-Paul Liégeois, Denoël.

COLLECTION FOLIO

Impression Bussière Camedan Imprimeries
à Saint-Amand (Cher),
le 5 novembre 1998.
Dépôt légal : novembre 1998.
1er dépôt légal dans la collection : juillet 1974.
Numéro d'imprimeur : 985373/1.

ISBN 2-07-036596-4./Imprimé en France.
Précédemment publié par les éditions Denoël.
ISBN 2-207-20365-4.

89137